JN068830
MIKAN

発刊の想い。

これからの世代のみんなが、
日本中と交流をするためには、
「デザインの目線」がとても
重要になっていくと考えます。
それは、長く続いていくであろう
本質を持ったものを見極め、
わかりやすく、楽しく工夫を感じる創意です。
人口の多い都市が発信する
流行も含めたものではなく、
土着的でも、その中に秘められた「個性」——
それらを手がかりとして、
具体的にその土地へ行くための
「デザインの目線」を持った観光ガイドが今、
必要と考え、四七都道府県を一冊一冊、
同等に同じ項目で取材・編集し、
各号同程度のページ数で発刊していきます。

d design travel
発行人　ナガオカケンメイ

problems, we will point out the problems while recommending it.
- The businesses we recommend will not have editorial influence. Their only role in the publications will be fact checking.
- We will only pick up things deemed enduring from the "long life design" perspective.
- We will not enhance photographs by using special lenses. We will capture things as they are.
- We will maintain a relationship with the places and people we pick up after the publication of the guidebook in which they are featured.

Our selection criteria:
- The business or product is uniquely local.
- The business or product communicates an important local message.
- The business or product is operated or produced by local people.
- The product or services are reasonably priced.
- The business or product is innovatively designed.

Kenmei Nagaoka
Founder, d design travel

編集の考え方。

・必ず自費でまず利用すること。実際に泊まり、食事し、買って、確かめること。
・感動しないものは取り上げないこと。本音で、自分の言葉で書くこと。
・問題があっても、素晴らしければ、問題を指摘しながら薦めること。
・取材相手の原稿チェックは、事実確認だけにとどめること。
・ロングライフデザインの視点で、長く続くものだけを取り上げること。
・写真撮影は特殊レンズを使って誇張しない。ありのままを撮ること。
・取り上げた場所や人とは、発刊後も継続的に交流を持つこと。

取材対象選定の考え方。

・その土地らしいこと。
・その土地の大切なメッセージを伝えていること。
・その土地の人がやっていること。
・価格が手頃であること。
・デザインの工夫があること。

SIGHTS
その土地を知る
To know the region

CAFES
その土地でお茶をする お酒を飲む
To have tea
To have a drink

RESTAURANTS
その土地で食事する
To eat

HOTELS
その土地に泊まる
To stay

SHOPS
その土地らしい買物
To buy regional goods

PEOPLE
その土地のキーマン
To meet key persons

A Few Thoughts Regarding the Publication of This Series

I believe that a "design perspective" will become extremely important for future generations, and indeed people of all generations, to interact with all areas of Japan. By "design perspective," I mean an imagination, which discerns what has substance and will endure, and allows users to easily understand and enjoy innovations. I feel that now, more than ever, a new kind of guidebook with a "design perspective" is needed. Therefore, we will publish a guide to each of Japan's 47 prefectures. The guidebooks will be composed, researched, and edited identically and be similar in volume.

Our editorial concept:

- Any business or product we recommend will first have been purchased or used at the researchers' own expense. That is to say, the writers have all actually spent the night in at the inns, eaten at the restaurants, and purchased the products they recommend.
- We will not recommend something unless it moves us. The recommendations will be written sincerely and in our own words.
- If something or some service is wonderful, but not without

愛媛県の12か月

12 Months of EHIME

和霊大祭・うわじま牛鬼まつり（宇和島市）

鬼の顔を持つ全長約6メートルの山車「牛鬼」（想像以上に怖い）が、家ごとに首を突っ込んで悪魔払いするさまは豪快の一言。

道後オンセナート（松山市）

道後温泉本館改築120周年を記念して2014年に始まり、4年おきに開催。道後温泉とアートの融合作品!?が街を彩り、自由に鑑賞・体験できる。『道後アート2019・2020』では、"道後らしさの再構築"をテーマに、日比野克彦氏監修のアートプロジェクトが進行中！

大巻伸嗣_つばき ©SHINJI OHMAKI / Dogo Onsenart 2018

砥部焼まつり（伊予郡砥部町）

春秋のそれぞれ2日間開催。砥部町の「陶街道ゆとり公園」などに約60の窯元が出店し、定番の和食器から作家物までが揃う。「梅山窯」をはじめ、最近ではバラエティー豊かな砥部焼があって面白い。

6 JUNE　5 MAY　4 APRIL　3 MARCH　2 FEBRUARY　1 JANUARY

宇和島定期闘牛大会・正月場所（宇和島市）

宇和島市営闘牛場で年5回開催する闘牛大会だが、やはり正月場所は見逃せない。約1トンもある横綱牛同士の頭突きが鈍い音を響かせる闘牛場は、要予約で「観光闘牛」も可能。

御田植祭（今治市）

大山祇神社で、毎年、豊作を祈念し行われるお祭り。特筆すべきは「一人角力」。力士が、目に見えない稲の精霊と相撲をとるのだが、それが超ユニーク！　力士の表情の豊かさと技術力は、編集部も見習いたいくらい。精霊が勝つと、その年は豊作になるといわれている。

大三島参道マーケット（今治市）

「しまなみ海道」開通とフェリー廃止に伴い、「大山祇神社」への参拝客が減ってしまった参道に活気を取り戻そうと、地元住民らが企画。「大三島みんなの家」では、スペシャルランチメニューも！

いかざき大凧合戦（喜多郡内子町）

和紙産地・五十崎の大洲和紙で作られた約500統のけんか凧が激しい空中戦を繰り広げる。取材時期を逃した編集部は、その特徴的な凧を「五十崎凧博物館」で購入。揚げられたかどうかは、本人のみぞ知る。

サイクリングしまなみ（愛媛県今治市、他）

「しまなみ海道」の本線を通行止めにして開催。自動車では気づかない坂道に苦戦必至も、伯方島の塩羊羹やレモンジュレで疲労回復を。架橋と瀬戸内の景色も、疲れを吹き飛ばしてくれるはず！

石鎚山お山開き大祭（西条市）

西日本の最高峰「石鎚山」で、毎年7月1日から10日間斎行される石鎚神社のお祭り。鎖を使い登れる「鎖場」が4か所あり、修験道として体感もでき、一度は登頂したい石鎚山。冬は滑落の危険もあるので、お守りと地酒を土産に、登山は我慢しましょう。

城下のMACHIBITO（大洲市）

かつて「伊予生糸」で栄えた城下町にカフェやクラフト、マルシェが並び、"大正バブル"さながらの熱気に溢れる2日間。歴史情緒と"まちびと"たちの本気に、本誌編集部も圧倒されました。

カモン夜市（松山市）

夜市が盛んな愛媛県にあって、最も大人向けなのが柳井町商店街の夜市。じゃこ天バーガーや生搾り柑橘ジュースなど、県内のセンス光る出店者が軒を連ね、日本酒サングリアもあってほろ酔い必至。愛媛在住のスチールパンバンド「minamo」の音色で、夜市は最高潮に。

12 DECEMBER　11 NOVEMBER　10 OCTOBER　9 SEPTEMBER　8 AUGUST　7 JULY

内子座文楽（喜多郡内子町）

全国的にも数少ない懐かしい風情残る芝居小屋で、2日間にわたり各2回公演。「内子座」を文化遺産として継承する努力が実り、現在は内子の夏の風物詩に。他の劇場にはない迫力と、舞台と客席の一体感をぜひ味わってほしい。

西条まつり（西条市）

4つの神社で約300年続く秋祭り。伝統工芸の粋を尽くした豪華絢爛な「屋台」の数は150(!?)を超え、提灯を灯した行列は圧巻。伊曽乃神社では神輿が川を渡って宮入りする「川入り」が最大の見所。

ハズミズム（今治市）

2013年から草の根で始まった1日限りの音楽フェス。「今治市民の森・野外ステージ」の会場には、愛媛移住者によるマルシェエリアを設け、今治の魅力を再確認するなどの工夫も。本誌編集部が愛媛取材中に出会った数々のお店が一堂に出店しています。

Z-1グランプリ in せいよ（西予市）

現存する木造校舎で日本一の長さを誇る、「宇和米博物館」の廊下109メートルを使った雑巾がけタイムレース。校舎の保存にも一役買えて一石二鳥。2019年更新の世界記録は100メートル17秒38。めちゃくちゃ疲れます……

kontex

TOWEL GARDEN IMABARI

PRODUCT of EHIME

HINANOYA

ひなのや謹製

pan-mame

100% pure EHIME RICE

伊予柑

Est.2009

925-2 takamatsu-ko, tambara-cho,saijo-city, EHIME pref. JAPAN

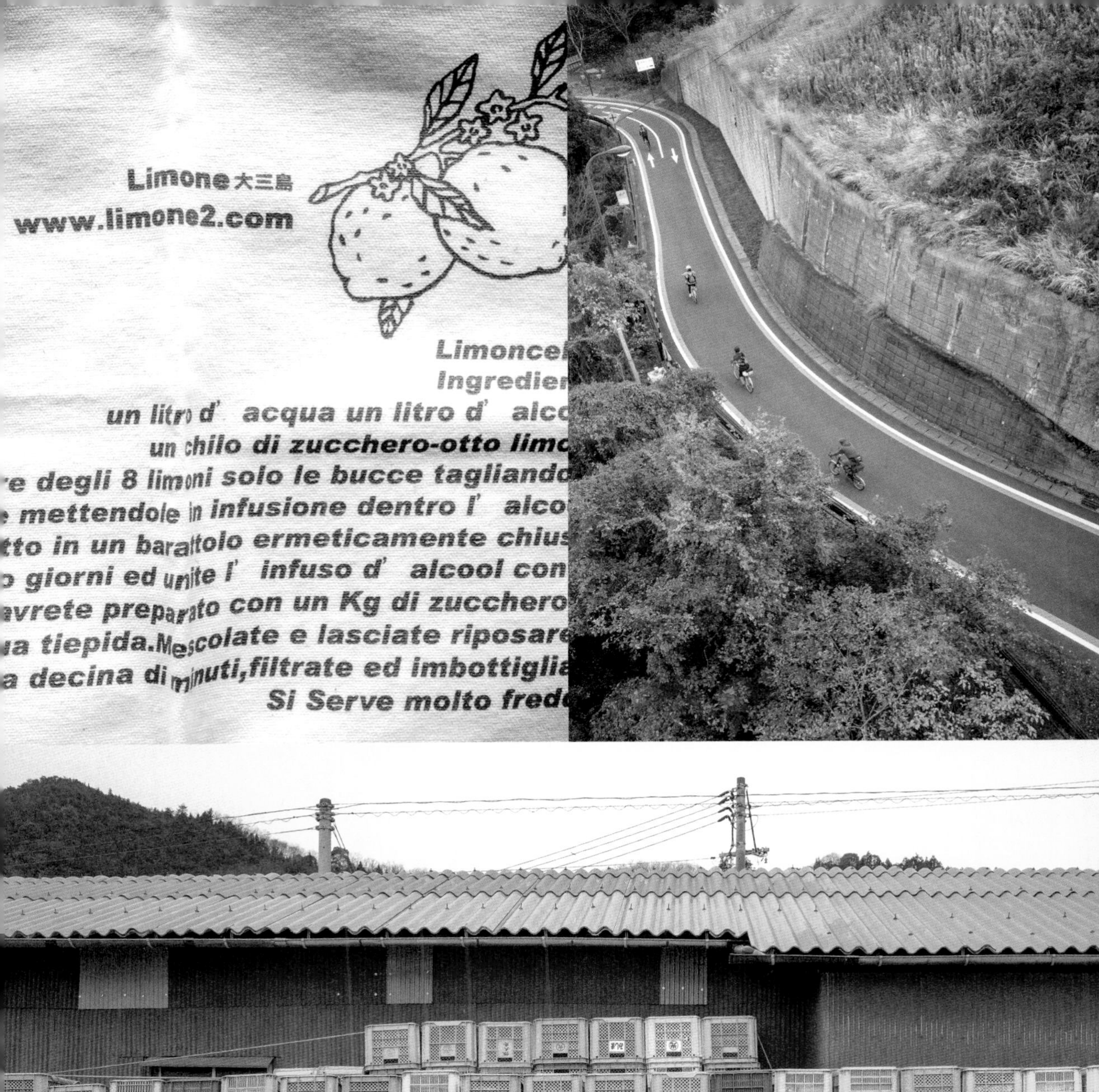
Limone 大三島
www.limone2.com
Limoncel
Ingredier
un litro d' acqua un litro d' alco
un chilo di zucchero-otto limo
re degli 8 limoni solo le bucce tagliando
mettendole in infusione dentro l' alco
tto in un barattolo ermeticamente chius
o giorni ed unite l' infuso d' alcool con
avrete preparato con un Kg di zucchero
ua tiepida.Mescolate e lasciate riposare
a decina di minuti,filtrate ed imbottiglia
Si Serve molto fredd

＊1 d design travel 調べ（2019年11月時点）　＊2 国土地理院ホームページより
＊3 総務省統計局ホームページより（2019年11月時点）
＊4 社団法人 日本観光協会（編）「数字でみる観光」より（2018年度版）　※（ ）内の数字は全国平均値
＊1 Figures compiled by d design travel. (Data as of November 2019)　＊2 Extracts from the website of Geographical Survey Institute, Ministry of Land, Infrastructure, Transport and Tourism.　＊3 According to the website of the Statistics Bureau, Ministry of Internal Affairs and Communications. (Data as of November 2019)　＊4 From Suuji de miru kanko, by Japan Travel and Tourism Association (2018 Edition)
※ The value between the parentheses is the national average.

愛媛の数字
Numbers of EHIME

美術館などの数＊1（122）
Museums
Number of institutions registered under the Ehime Prefecture Association of Museums

93

スターバックスコーヒーの数＊1（31）
Starbucks Coffee Stores

10

歴代Gマーク受賞数＊1（212）
Winners of the Good Design Award

50

経済産業大臣指定伝統的工芸品＊1（4）
Traditional crafts designated by the Minister of Economy, Trade and Industry

砥部焼
大洲和紙

2

Tobe Ware (Japanese porcelain)
Ozu Washi Paper

JAPANブランド育成支援事業に採択されたプロジェクト＊1（13）
Projects selected under the JAPAN BRAND program

8

日本建築家協会 愛媛県の登録会員数＊1（75）
Registered members of the Japan Institute of Architects

10

日本グラフィックデザイナー協会 愛媛県登録会員数＊1（64）
Registered members of the Japan Graphic Designers Association Inc.

12

県庁所在地
Capital

松山市
Matsuyama City

市町村の数＊1（36）
Municipalities

20

人口＊3（2,704,143）
Population

1,385,262 人

面積＊2（8,042）
Area

5,676 km²

1年間観光者数＊4（50,240,975）
Annual number of tourists

15,030,000 人

郷土料理
Local specialties

北条鯛めし、
宇和島鯛めし、
さつま、いも炊き、
じゃこ天、みがらし

Hojo Tai-meshi (Seasoned rice cooked with sea bream), ***Uwajima Tai-meshi*** (Sea bream and raw egg mixed and pour on rice), ***Satsuma*** (Rice topped with *dashi* sauce thinned from grilled fish and barley *miso*), ***Imo-taki*** (Taro and chicken stew), ***Jako-ten***(Fried fish cakes), ***Migarashi*** (Barley *miso*-based mustard *miso* condiment)

伊予柑の年間消費量＊1（699）
Annual yield of Iyokan (Japanese citrus)

29,689 t

主な出身著名人（現市名、故人も含む）
Famous people from Ehime

畦地梅太郎（版画家・宇和島市）、**石本藤雄**（テキスタイルデザイナー・伊予郡）、**伊丹万作**（映画監督・松山市）、**石丸幹二**（俳優・新居浜市）、**大江健三郎**（小説家・喜多郡）、**大木凡人**（タレント・八幡浜市）、**紫舟**（書家・四国中央市）、**杉浦非水**（グラフィックデザイナー・松山市）、**正岡子規**（俳人・松山市）、**松村正恒**（建築家・大洲市）、**MAYA MAXX**（画家・今治市）、**和田ラジオ**（漫画家・松山市）、他
Umetaro Azechi (woodblock artist, Uwajima), **Fujio Ishimoto** (textile designer, Iyo-gun), **Mansaku Itami** (film director, Matsuyama), **Kanji Ishimaru** (actor, Niihama), **Kenzaburo Oe** (novelist, Kita-gun), **Bondo Oki** (TV personality, Yawatahama), **Shishu** (calligrapher, Shikoku-chuo), **Hisui Sugiura** (graphic designer, Matsuyama), **Shiki Masaoka** (poet, Matsuyama), **Masatsune Matsumura** (architect, Ozu), **MAYA MAXX** (artist, Imabari), **"Radio" Wada** (comic artist, Matsuyama), etc.

SETOUCHI
AONAGI
青凪
Landscape to
become a picture

砥部焼
梅山窯

愛媛号 目次

CONTENTS

伊織
https://www.i-ori.jp
Reliable Quality Made
by Genuine Craftsman
with Heart

Normal for EHIME

愛媛のふつう

d design travel 編集部が見つけた、
愛媛県の当たり前。

絵・辻井希文
文・神藤秀人

外国人がママチャリに乗っている　本州は尾道と、四国は今治を結ぶ西瀬戸自動車道。その道路に並走するように走るのが「しまなみ海道サイクリングロード」だ。日本で初めて車道の左側に導線として青い線〝ブルーライン〟を引いた自転車道で、それを辿れば地図いらずで瀬戸内海を縦断できる。広大な海と島の景色の中を駆け抜けるその爽快感がたまらなく、世界中のサイクリストからも〝聖地〟として憧れられている。高低差のある橋へのアプローチは、緩やかなスロープになっているので、島から島への移動も楽チン。〝サイクルオアシス〟やレンタサイクルも県内全域に充実していて、一般客の利用も多く、編集部も本格的なロードバイクを借りて走った。繁忙期には、グレードの高い自転車は人気が高いので、出遅れるとママチャリになってしまうのでご注意を。ただ、なぜだか外国人はママチャリが好きなようで、ヘルメットを被ったママチャリ姿の外国人を多く見かけた。また、愛媛県では中学生をはじめ、自転車に乗る時には、皆競技用のヘルメットを被るのも当たり前。

ラーメンが甘い　愛媛に来た人ならば、一度は驚く甘めの味つけ。松山で人気の「アサヒ」や「ことり」の鍋焼きうどんに始まり、老舗イタリア料理「でゅえっと」のミートソーススパゲティに、県民御用達スーパー「フジ」の唐揚げ。味噌汁だって、日本一の生産量を誇るはだか麦を使った「麦みそ」の味つけなので、やっぱり甘い。さらに「瓢太」の中華そばも、想像の五倍は甘い。極めつきは、「日の出ホルモン」の甘い焼肉……ここまで甘いと、逆に癖になってきて、

Sweet ramen
From *nabeyaki udon*, spaghetti bolognese, fried chicken… even their *miso* soup is seasoned with "barley *miso*", which is made with hulless barley, so everything is sweet to the palate. Ehime is the top producer of hulless barley in Japan. Even *ramen* is sweet: five times as sweet as you can imagine it to be. Their BBQ meat is sweet too. Why do they have such a sweet tooth? The locals use sweetness as a measure of hospitality to friends, important people, pilgrims, and guests. Even after the war, the locals still value this once cherished concept of 'sweetness'.

Mandarin juice straight from the tap
You can see mandarin trees everywhere you go; there are over 200 varieties of the fruit growing through the year. Almost everyone knows a mandarin farmer so nobody really needs to buy it. Ehime with its unique land has been said to have been blessed with good weather that makes it excellent for growing mandarins. The mandarin juice from the tap is now also available in hotels, airport, and event venues.

編集部も好きこのんで、甘い食べ物を嗅ぎつけては食べに食べた。どうしてこんなにも甘い食べ物が多いのかというと、その秘密は愛媛県に伝わる文化「お接待」にある。親友や大事な人、お遍路さんなど、客人へのおもてなしの物差しが、甘さの加減だったとかで、戦後、貴重だった「甘さ」を、愛媛の人は、今でも大切にしている。

蛇口からみかんジュース　つまり、「みかんは無料（ただ）」というのが、〝愛媛のふつう〟。ちょうどみかんの収穫が始まる頃に愛媛県に入った編集部が目にしたのは想像以上のみかん畑。行く先々の道路の脇にはみかんがなっていて、みかんはみかんでも、「温州みかん」から「ポンカン」「伊予柑」「きんかん」「デコポン」「せとか」「河内晩柑」「清見」そしてゼリーのような食感の人気品種「紅まどんな」など、年間通して（細分化すると）二〇〇種以上!?　しかし、地元の人は、めったに買わない。親戚や近所に必ずみかん農家がいるから、買わなくても貰えるのがふつう。実際のところ、僕も一度も買っていないけど、車の中には常にみかんがストックしてあった。寒暖差が大きく、天候にも恵まれる愛媛県ならではの土地が、美味しいみかんを育てるという。ちなみに、もともと噂から広まった「蛇口」だが、それも今ではホテルや空港、イベント会場に設置され現実のものに。さらには、みかんジュースで炊いたご飯。給食に出るという小学校があるそうだが、美味しいかどうかは未確認。

Normal for EHIME
Ordinary Sights in EHIME Found by d design travel

Text by Hideto Shindo
Illustration by Kifumi Tsujii

Foreigners on *mamachari* (bicycles with baskets and usually low saddle)
"Shimanami Kaido Cycling Road" – the first cycling path in Japan designated by a blue line on the left of the road. Following this route will allow you to cross the Seto Inland Sea without a map. The exhilaration of crossing the vast sea with the island scenery is not something words can describe and is viewed by cyclists all over the world as a pilgrimage. Cycling stations and bicycle rentals are also available throughout the prefecture. During the busy season, the higher-end bicycles are very popular so you may end up renting a *mamachari* if you are not fast enough. But for some reason, foreigners seemed to like *mamachari* and I have seen many of them donning helmets on them.

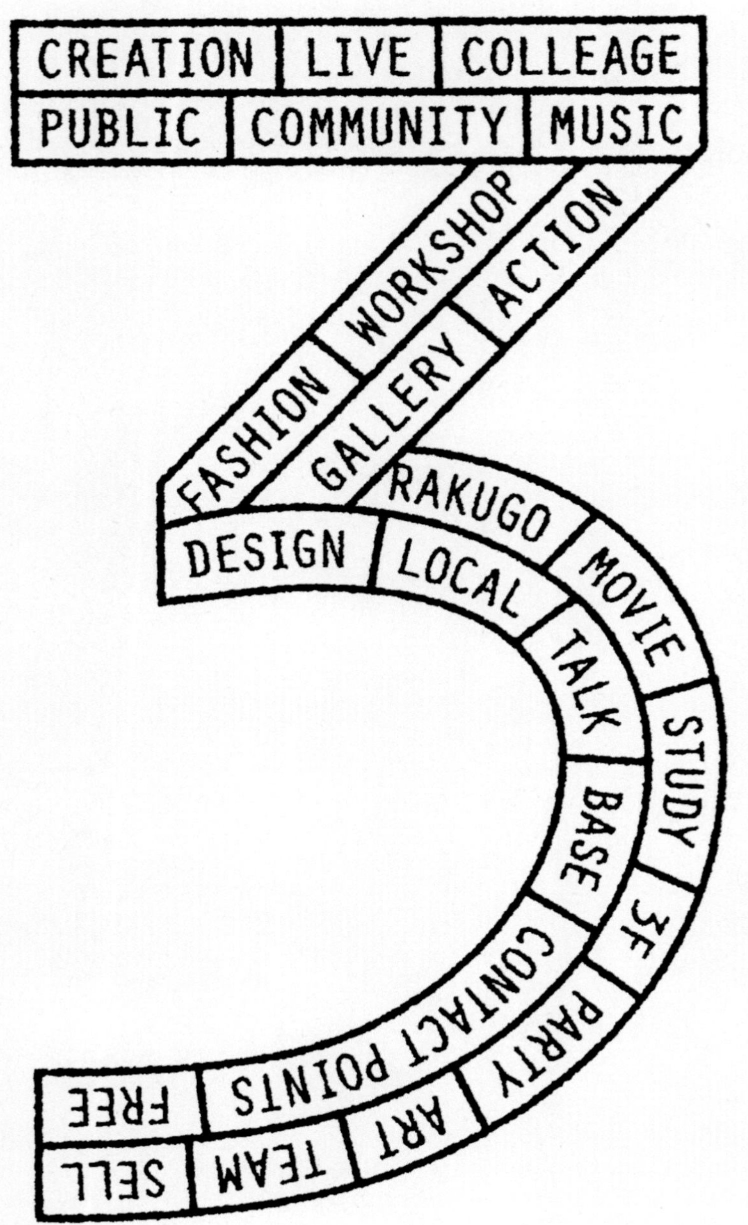

THE 3rd FLOOR

WWW.t3F.jp

THE 3rd FLO
www.t3f.jp

遊於藝
安岡
蒲鉾
宇和島
じゃこ天

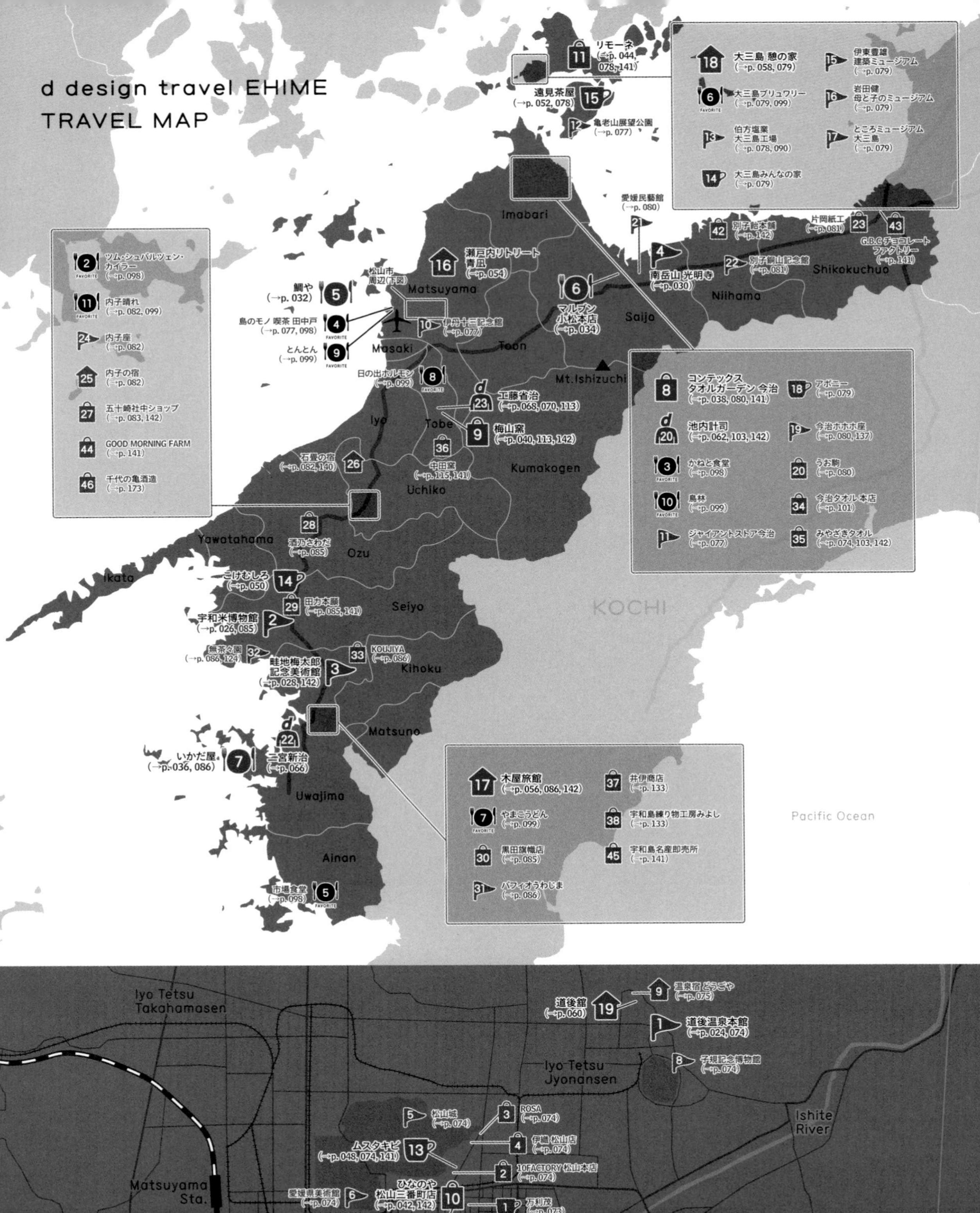

d design travel EHIME
TRAVEL MAP
11 リモーネ (→p. 044, 078, 141)
遠見茶屋 (→p. 052, 078) 15
12 亀老山展望公園 (→p. 077)
18 大三島 憩の家 (→p. 058, 079)
6 大三島ブリュワリー (→p. 079, 099)
13 伯方塩業 大三島工場 (→p. 078, 090)
14 大三島みんなの家 (→p. 079)
15 伊東豊雄建築ミュージアム (→p. 079)
16 岩田健 母と子のミュージアム (→p. 079)
17 ところミュージアム大三島 (→p. 079)
Imabari
愛媛民藝館 (→p. 080) 21
42 別子飴本舗 (→p. 142)
片岡紙工 (→p. 081) 23
43 G.B.C チョコレートファクトリー (→p. 141)
22 別子銅山記念館 (→p. 081)
4 南岳山 光明寺 (→p. 030)
Shikokuchuo
Niihama
2 ツム・シュパルツェン・カイラー (→p. 098)
11 内子晴れ (→p. 082, 099)
24 内子座 (→p. 082)
25 内子の宿 (→p. 082)
27 五十崎社中ショップ (→p. 083, 142)
44 GOOD MORNING FARM (→p. 141)
46 千代の亀酒造 (→p. 173)
16 瀬戸内リトリート青凪 (→p. 054)
松山市周辺(下図)
鯛や (→p. 032) 5
Matsuyama
島のモノ 喫茶 田中戸 (→p. 077, 098) 4
とんとん (→p. 099) 9
10 伊丹十三記念館 (→p. 077)
Masaki
6 マルブン 小松本店 (→p. 034)
Saijo
Toon
Mt.Ishizuchi
日の出ホルモン (→p. 099) 8
23 工藤省治 (→p. 068, 070, 113)
Iyo
Tobe
9 梅山窯 (→p. 040, 113, 142)
36 中田窯 (→p. 115, 141)
石畳の宿 (→p. 082, 140) 26
Uchiko
Kumakogen
8 コンテックス タオルガーデン 今治 (→p. 038, 080, 141)
20 池内計司 (→p. 062, 103, 142)
3 かねと食堂 (→p. 098)
10 鳥林 (→p. 099)
1 ジャイアントストア今治 (→p. 077)
18 アボニー (→p. 079)
19 今治ホホホ座 (→p. 080, 137)
20 うお駒 (→p. 080)
34 今治タオル本店 (→p. 101)
35 みやざきタオル (→p. 074, 103, 142)
28 酒乃さわだ (→p. 085)
Yawatahama
Ozu
Ikata
こけむしろ (→p. 050) 14
29 田力本藤 (→p. 085, 141)
宇和米博物館 (→p. 026, 085) 2
Seiyo
KOCHI
無茶々園 (→p. 086, 124) 32
33 KOUJIYA (→p. 086)
畦地梅太郎記念美術館 (→p. 028, 142) 3
Kihoku
Matsuno
22 二宮新治 (→p. 066)
いかだ屋 (→p. 036, 086) 7
Uwajima
Ainan
市場食堂 (→p. 098) 5
17 木屋旅館 (→p. 056, 086, 142)
7 やまこうどん (→p. 099)
30 黒田旗幟店 (→p. 085)
31 パフィオうわじま (→p. 086)
37 井伊商店 (→p. 133)
38 宇和島練り物工房みよし (→p. 133)
45 宇和島名産即売所 (→p. 141)
Pacific Ocean
Iyo Tetsu Takahamasen
道後館 (→p. 060) 19
9 温泉宿 どうごや (→p. 075)
1 道後温泉本館 (→p. 024, 074)
8 子規記念博物館 (→p. 074)
Iyo Tetsu Jyonansen
5 松山城 (→p. 074)
3 ROSA (→p. 074)
4 伊織 松山店 (→p. 074)
ムスタキビ (→p. 048, 074, 141) 13
2 10FACTORY 松山本店 (→p. 074)
Ishite River
Matsuyama Sta.
愛媛県美術館 (→p. 074) 6
ひなのや 松山二番町店 (→p. 042, 142) 10
1 万利茂 (→p. 073)
松波雄大 (→p. 064, 073) 21
12 サントリーバー露口 (→p. 046, 073)
坊っちゃん列車ミュージアム (→p. 074) 7
1 アサヒ (→p. 073, 098)
40 本の轍 (→p. 074, 139)
Matsuyama

d MARK REVIEW EHIME

SIGHTS

RESTAURANTS

SHOPS

CAFES

HOTELS

PEOPLE

道後温泉本館

愛媛県松山市道後湯之町 5-6
Tel: 089-921-5141（道後温泉事務所）
6時～23時（入館は22時30分まで）
12月に一日臨時休館あり
dogo.jp/onsen/honkan
道後温泉駅から徒歩約5分

1. 日本最古かつ現役の温泉施設にして、国の重要文化財。

太鼓が鳴り響く6時の開館から23時の閉館まで、1日2千人を超える客が来湯。愛媛が誇る名物観光。

2. 砥部焼のタイル絵を配した「神の湯」など、複数選べる“体験型温泉”。

築120余年の建築を体感できる、浴衣とお茶菓子付きの休憩コース。2017年には、愛媛の伝統工芸で演出した道後温泉別館「飛鳥乃湯泉」が完成。

3. アートプロジェクト「道後アート」で、道後エリアを活性化。

2014年の「道後オンセナート」をきっかけに、2019年・2020年は、アーティスト日比野克彦氏と共に、さまざまなアートイベントを開催。

最古で先進の、温泉施設　松山の中心地からほど近い「道後温泉本館」。『日本書紀』にも登場し、聖徳太子も来湯したという歴史が残る、愛媛県きっての観光地だ。僕が驚いたのは、国の重要文化財であるのにもかかわらず、現役で営業しており、さらに、二〇一九年から始まった保存修理工事の期間中も、入館できるということ。営業開始の早朝六時には、通常通り常連客の行列に紛れて観光客でも賑わう。そして、工事期間中でしか見ることができない本館の姿を、逆手にとって、「モニュメント」にしてしまう考え方もユニークだ。『道後REBORNプロジェクト』と題し、休止中の二、三階部分を利用して、漫画家・手塚治虫の『火の鳥』をオマージュしたプロジェクションマッピングや、工事用の仮囲いには、巨大なラッピングアート。県外からの観光客へ向けた、愛媛県ならではの〝お接待〟だ。道後のまちを巻き込んだアートイベント『道後アート』も開催中で、道後商店街の各店舗を使って、さまざまな取り組みに多くの人が、関心を寄せる。肝心の温泉は、一日二千人が入湯するというのに、風呂桶や椅子の配置にもセンスを感じ、入浴する人たちの譲り合いも、道後温泉に伝わる暗黙のルールのように思える。僕は、「神の湯」で汗を流し、今度はリニューアル後に、二階の大広間でのんびりと「坊っちゃん団子」をいただこうと思う。アート・デザイン・観光が融合した、圧倒的なスケール感の、唯一無二の温泉施設。（神藤秀人）

Dogo Onsen Honkan

1. **The oldest, operating *onsen* (hot spring) bathhouse and an important cultural property of Japan.**
2. **Several bathing packages available such as "Kami-no-Yu" adorned with Tobe porcelain tiled painting.**
3. **"Dogo Art"–an art exhibition revitalizing the economy of Dogo area.**

Located near the center of Matsuyama, Dogo Onsen Honkan is the best historical sightseeing spot in Ehime. Despite being an important cultural property, I was surprised that it was still operating, and that visitors can still enter the bathhouse during the conservation repair works that begun in 2019 (rooms that are being renovated are out of bounds). The bathhouse is also bustling with curious tourists who join in the lines by the regular patrons when it opens at six in the morning. The idea to turn this renovation period into a novelty is also unique. Although the *onsen* sees up to 2,000 bathers per day, the tubs and chairs are tastefully arranged, and bathers seem to implicitly know what to do and where to look as they get ready to soak. This is truly a unique bathhouse that conveys and integrates art, design, and sightseeing on a grand scale. (Hideto Shindo)

※記事内の店舗は、保存修理工事のため、2019年1月から2024年末まで一部休止予定です。

宇和米博物館

愛媛県西予市宇和町卯之町 2-24
Tel: 0894-62-6517
9時〜17時
月曜休（祝日の場合は翌日休）、年末年始休
komehaku.jp
西予宇和 IC より車で約10分

1. 米どころ・宇和町の旧小学校舎を利用した米のミュージアム。

愛媛県のブランド米「宇和米」の歴史をはじめ、
農耕具や宇和の風物詩「わらぐろ」など、宇和町の魅力に迫る。

2. 県内の作家や企業が入る、教室を利用したシェアオフィス。

「暁工房」の橋本えりかさんなど、地元のものづくりの現場。
宇和米や砥部焼、媛ひのき弁当箱なども販売。

3. 砥部焼のお碗を使って、ご飯の食べ比べができる。

併設した「Loca-cafe」で、愛媛の米と県外のお米の食べ比べ。
「おこめアフォガート」や「甘酒スムージー」など、美味しいスイーツ。

知られざる愛媛の米　皆さんは、どこの産地の米が好きだろうか？　山形県の旅で出会ったブランド米『つや姫』が、僕のお気に入りだった。特に、炊きたてをおむすびにしたら最高。〝米どころ〟〝酒どころ〟と聞くと、どうしても東北の産地が挙がるが、実は、愛媛県も米どころ。西予市宇和町卯之町は、江戸時代、宇和島藩の在郷町として栄え、妻入りと平入りの町家が混在する町並みが残っており、国の重要伝統的建造物群保存地区にも指定されている。少し離れれば、田園風景が広がり、この地域の風物詩「わらぐろ（脱穀した藁を円錐状に積み上げたもの）」も、取材中にはよく見かけた。そんな町の高台にある、旧・宇和町小学校を改装した「宇和米博物館」。木造校舎の各教室には、「宇和米」の歴史をはじめ、地域の農耕具などを展示し、一〇九メートルもある長い廊下では、米はもちろん、「梅山窯」のオリジナルの砥部焼や、媛ひのき弁当箱など、「米」にまつわるグッズも販売。愛媛県のブランド米「宇和米」には、数種類の品種があり、廊下の先に併設された「Loca-cafe」で、実際に食べ比べもできる。僕がいただいたのは、みかんジュースの搾りかすを肥料にした「田力本願」の宇和米『ひめの凜』。対するは、山形県の新ブランド『雪若丸』。愛媛のお米は、東北の米にも負けじと劣らず美味しく、むしろ地元の〝ごはんのお供〟にめっぽう合う。貴重な品種も味わえて、見て食べて買って学べる。愛媛の米専門、楽しい博物館。（神藤秀人）

Uwa Rice Museum

1. A rice museum converted from an old elementary school in the rice producing region of Uwa Town.
2. Classrooms are converted into shared offices occupied by artists and businesses from Ehime Prefecture.
3. Enjoy and compare different rice in Tobe ware (Japanese porcelain) in their in-house café.

People always think of the Tohoku region when asked for rice or sake producing regions, but Ehime Prefecture is also one of them. I visited the Uwa Rice Museum (once an elementary school) located on a plateau in Uwa Town. Classrooms in this wooden school showcase the history of Uwa rice and local farming tools. Rice and its related goods are also on sale along the 109-m long corridor. There are several varieties of the Uwa rice, which one can actually enjoy and compare differences at "Loca-café" at the end of the corridor. I tried a local rice variety fertilized with mandarin pomace produced by "Tariki Hongan". I also got to try a new rice crop from Yamagata Prefecture. The Ehime rice was as good as the Tohoku contender, and is a perfect partner to the local rice condiments. This is an enjoyable Ehime rice museum where one can savor rare rice varieties, see, eat, buy, and learn more about this grain. (Hideto Shindo)

3

畦地梅太郎記念美術館

愛媛県宇和島市三間町務田 180-1
Tel: 0895-58-1133
9時〜17時(入館は16時30分まで) 火曜休(祝日の場合は翌日休)、1月1日休、展示入れ替え時休
www.city.uwajima.ehime.jp/site/azechi-iseki-museum
三間ICから車で約1分

1. 宇和島市三間町出身の版画家・畦地梅太郎の作品を展示。

畦地梅太郎の生い立ちのパネル展示に始まり、版画道具から登山用品まで、当時のアトリエを再現。

2. 石鎚山・松山城・臥龍山荘・八幡浜劇場・伊予の闘牛……愛媛を描いた版画作品たち。

版画という技法でモチーフを抽象化するデザインセンス。もちろん『山男』シリーズも常設展示し、作品も購入できる。

3. 道の駅「みま」に併設し、市民や観光客も気軽に寄れる立地。

農機メーカー「井関農機」の生みの親・井関邦三郎の記念館が隣接。

梅太郎のメッセージ　松山市の鍋焼きうどんの名店「アサヒ」で、食事をしている際に目にした『石鎚山』。店員に尋ねると、愛媛県出身の版画家・畦地梅太郎の、晩年の大作だと教えてくれた。石鎚山は、四国山地西部に位置する西日本最高峰の山ともいわれ、山自体を御神体として崇められる山岳信仰(修験道)の山。僕は、まだ石鎚山に登っていなかったが、それでもどこか愛媛県にとって大切な山なのだろう、と感じていた。「畦地梅太郎記念美術館」へ行くと、梅太郎の生い立ちのパネル展示や、愛用の彫刻刀やバレン、絵の具などの版画道具、そして、地元をはじめ、日本の山々を登った際に使っていた登山用具、さらには当時のアトリエをも再現している。梅太郎といえば、"山の版画家"として知られ、画文集の出版や装丁、挿画などの分野でも活躍。山岳雑誌『岳人』や、アウトドアブランド「モンベル」へのイラスト提供など、今でもファンは多い。まず、目を引くのが、『八幡浜劇場』や『伊予の闘牛』といった愛媛県をモチーフにした作品。山の画は、実際に登った山での感動体験を、下山後に描いたとか。人気の『山男』シリーズは、自身の心情を表した画。こんな場所もあったのかという新しい発見もあるが、何よりもそれを版画という技法で抽象化しているところにデザインを感じる。梅太郎が版画を通して伝えたかったこと——「愛媛は素晴らしい、日本はもっと素晴らしい」と、語りかけてくるように、彼の作品を見ると思うのだ。(神藤秀人)

Azechi Umetaro Memorial Museum

1. Exhibits the works of Umetaro Azechi, a print artist from Mima Town, Uwajima City.
2. His prints depict Ehime, from Mount Ishizuchi, Matsuyama Castle … to bullfighting in Iyo City.
3. Built beside the Roadside Station Mima, it is a location where the locals and tourists can easily visit.

When you visit this Museum, you will see a panel display of Umetaro's background, his beloved print tools such as chisels, *baren* (small hand press), and paints. It also showcases the mountaineering equipment he used for his hikes in Japan, including his hometown, also a reproduction of his then atelier. Umetaro is well-known for his mountain prints as well as publications of illustrated essays, book bindings, and illustrations. Even today, there are many fans of his illustrations for the hiking magazine "Gakujin" and alpine wear company, Montbell. The works that first caught my attention were those based on Ehime, such as "Yawatahama Theater" and "Bullfighting in Iyo". His popular "Mountaineer" series are images that expressed his emotions during his hikes. I discovered new places through his works but above all, I could feel the artful conception of that in abstract art through prints. (Hideto Shindo)

南岳山
光明寺

愛媛県西条市大町 550
Tel: 0897-53-4583
無休（見学は、14時から16時）
www.koumyouji.com
伊予西条駅から車で約3分

1. 水の都・西条市の町中に建つ、モダンな寺。

1731年に建立し、2000年に建て替え。
水と光と山と人――西条市の魅力を感じるランドマーク的寺院。

2. “うちぬきの名水”に浮かぶ安藤忠雄建築。

数百本の柱とガラスを使った圧倒的な木造建築の本堂。
水や光、空気を取り入れた設計テーマは、「自然との共生」。

3. デザインを通して地域に開けた寺院の新しい形。

ライブやコンサートなどを行なう、地域の憩いの場。
石鎚山(いしづちさん)をモチーフにした絵画作品なども展示。

自然と共生する寺　南方にそびえ立つ「石鎚山」。西条市の人たちは、「うちぬき」と呼ばれる石鎚山系の地下水が地中に蓄えられているため、杭を打って抜けば、そこから地下水が噴き出るというほど、水に恵まれている。しかも、水道代も掛からないとか。料理人もこぞって汲(く)んでいくほどの超軟水で美味(おい)しく、その水で醸された日本酒は日本一とも称される。僕はよく「石鎚酒造」や「成龍(せいりょう)酒造」などの銘酒を手土産に買った。そんな〝水の都〟西条市にある、一見寺院とは思えない、モダンな安藤忠雄建築「光明寺」。コンクリート壁の客殿、納骨堂、庫裏（住職の居間）、そしてうちぬきの名水に浮かぶ木造の本堂。数百本の柱とガラスを格子状に、幾重にも重なり合う木組みの空間は、人々が集まり、手を組み合い、一つの共同体を支え合うイメージだそう。開放時間は、一四時から一六時までで、自由に観光客も檀家(だんか)も参拝し、見学もできる。浄土真宗では、お守りやお札といった何か見返りを求める物は一切ない。日々迷いの世界にいる僕たちを、阿弥陀様はいつも見守ってくれている。一九九九年、入江一宏前住職は、安藤忠雄氏の設計、現「瀬戸内リトリート青凪(あおなぎ)」の竣工後に、縁もあって立ち寄った同氏に設計を依頼。「人が集まり、地域に開かれたお寺にしたい」という思いで、約一二〇〇人の檀家を説得した。瀬戸内の凪のように穏やかな水面が美しい。デザインを介して、まちと自然と浄土が交じり合う場所。（神藤秀人）

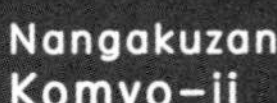

Nangakuzan Komyo-ji

1. **A modern temple built right in the heart of Saijo City – the City of Water.**
2. **Designed by Tadao Ando, the temple floats on the famous waters of uchinuki (flowing artesian wells).**
3. **Temple is reborn to connect the people in the region through design.**

Located in the City of Water and designed by Tadao Ando, at a glance, the contemporary Komyo-ji does not look like its counterparts. Its reception hall, columbarium, and the priests' living quarters are concrete, while the main wooden hall floats above the waters of uchinuki. The multiple overlapping lattice framework of hundreds of wooden pillars and glass panes is a symbol of people joining their hands together to support each other in a community. No tour is provided by the head priest; tourists and worshippers can freely visit and worship. The former head priest, asked Ando to design the temple in 1999. He persuaded 1,200 temple worshippers to okay the revamp with his idea of "creating a temple open to the local community". The calm water surface is beautiful like the lull of the Seto Inland Sea. A place where the town, naturecome together through design. (Hideto Shindo)

鯛や

愛媛県松山市三津 1-3-21
Tel: 089-951-1061（要予約）
11時30分〜15時　火・水曜休（祝日は営業）
taimesi.net
三津駅から徒歩約10分

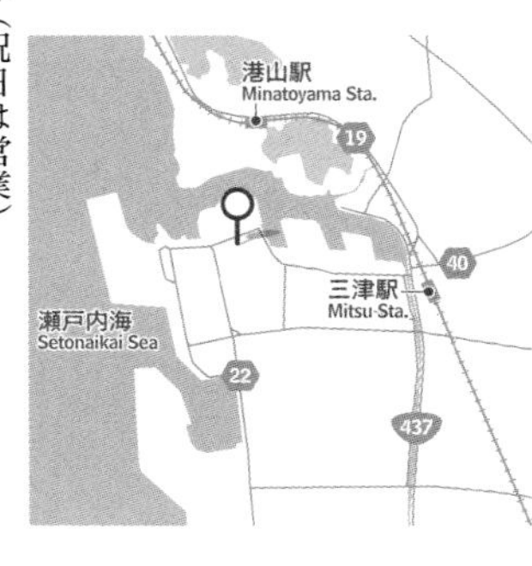

1. 国の登録有形文化財の建物を利用した、「鯛メシ」専門店。

経年変化した銅板が美しい、緑青色のファサード。
三津浜の古い町並みに建つ、愛媛随一の郷土料理店。

2. 三津浜港で仕入れた天然鯛を、ふんだんに使った鯛料理。

注文してから炊き上げる郷土料理「鯛メシ」は、
砥部焼のお碗でいただく。骨董の器に盛られる鯛の刺身や鯛のお吸い物。

3. 建物の二階に併設される「三津浜資料館」（要予約）。

近隣には、俳人・正岡子規が師と仰いだ大原其戎の居宅があり、
多くの俳句や短歌の史料が残る。

三津浜の歴史を伝える「鯛メシ」

一口に〝鯛めし〟と言っても、愛媛県には、「宇和島鯛めし」と「北条鯛めし」の二種類がある。まず、「宇和島鯛めし」は、主に南予の日振島を本拠地にしていた水軍が、船の上で酒盛りをした後に、醤油と絡めた鯛の刺身をご飯にぶっかけて食べたといい、今では、卵も混ぜて、まるで〝豪華版卵かけご飯〟のよう。そして、「北条鯛めし」は、主に東・中予の家庭料理で、神功皇后が鹿島明神に戦勝祈願した際、漁師から献上された鯛を使ってご飯を炊いたことから伝わった、いわゆる〝鯛の炊き込みご飯〟。共に、古くから伝わる郷土料理だが、僕の一押しは後者の鯛めし。松山の市街地から、最も近い漁港・三津浜港。夏目漱石や正岡子規などもこの港から愛媛県を出入りしたそうで、今でも港周辺の町並みは古く、趣深い。そんな町の一角にある、鯛メシ専門店「鯛や」は、三津浜港で水揚げされる天然の鯛を調理し、美味しく食べさせてくれる。国の登録有形文化財の建物は、経年変化した緑青の銅板が美しい。建築当時の主人、森要三郎は、「連翠」という俳号を持った俳人だったといい、句会などでは正岡子規もゆかりある場所。そんな歴史情緒感じる大広間で、足付き膳でいただく数々の鯛料理。鯛の刺身や鯛のお吸い物、そして、お櫃で運ばれてくる炊きたての「鯛メシ」。二階に併設の「三津浜資料館」も見応え十分（要予約）。東・中予で食べられてきた郷土食を、時代まるごと再現した娯楽的な食事処。（神藤秀人）

Taiya

1. Tai (sea bream) meshi specialty restaurant housed in a registered tangible cultural property.
2. Tai dishes with generous portions of natural sea bream delivered from Mitsuhama Port.
3. The Mitsuhama Historical Archive on the second floor of the building (reservations required).

In Ehime, there are two types of taimeshi (sea bream rice), Uwajima taimeshi, rice mixed with raw egg and topped with tai sashimi, and Hojo taimeshi, rice cooked with broth and sea bream. Mitsuhama around the port has retained its old and charming character to this day. At Taiya, natural fresh sea bream is prepared in delicious ways. The restaurant is housed in a registered tangible cultural property, and one can clearly get a sense of its history from the appearance. The owner of the house when it was built, was a haiku poet and poets like Shiki Masaoka used to gather at the house. In the large historic hall, sea bream dishes are served on traditional trays with four short legs. The restaurant is like a recreational place that reproduces local cuisine eaten in the Toyo and Chuyo areas for generations together with the atmosphere of a bygone era. (Hideto Shindo)

マルブン 小松本店

愛媛県西条市小松町新屋敷甲 407-1
Tel: 0898-72-2004
平日ランチ 11時～15時30分（L.O. 15時）
ディナー 17時30分～22時（L.O. 21時30分）
土・日曜、祝日 11時～22時（L.O. 21時30分）
月曜休（祝日の場合は翌日休）、他不定休、1月1日休
marubun8.com
伊予小松駅から徒歩約1分

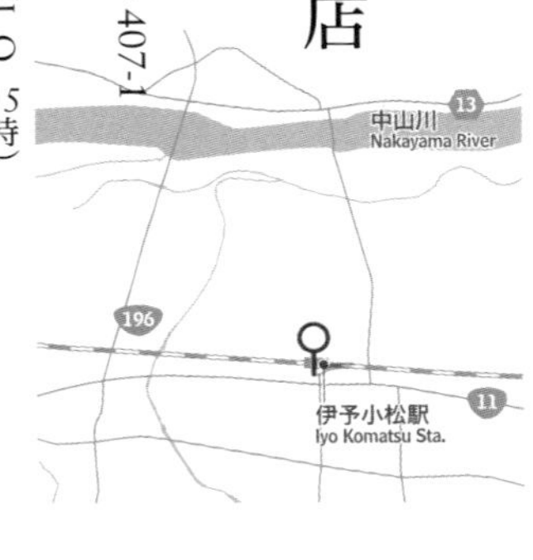

1. 創業100年。元遍路宿の老舗ファミリーレストラン。

高校生もお年寄りも、老若男女、地元に愛される店。

2. ポンジュースを使った名物料理「西条てっぱんナポリタン」。

地域おこしから生まれた“B級ご当地グルメ”に、独自に“愛媛らしさ”を追求し、今では鉄板メニューに。

3.「石鎚黒茶」のスイーツなど、地元農家を応援するメニュー。

宇和島の養殖鯛の「鯛一郎クンパスタ」や、「媛っこ地鶏」のアマトリチャーナなど、愛媛ならではのメニュー開発。

A級ご当地グルメ　近年各地で、安くて庶民的な料理を新しく作り、〝その土地らしさ〟として、地域おこしを行なう傾向がある。郷土料理のように地域の暮らしに根づいたものではなく、作為的な要素が強くて、正直僕は嫌気が差していた。そして、愛媛県西条市には、「西条てっぱんナポリタン」という〝B級ご当地グルメ〟があった……。「マルブン 小松本店」には、いつもたくさんの客が並んでいて、観光客はおろか、地元の人が九割以上を占める老舗イタリアン。宇和島の養殖鯛の「鯛一郎クンパスタ」や、大洲の醤油蔵の「和匠パスタ〝巽〟」など、地産地消、旬の食材にこだわった料理で、そのどれもが絶品。代表の眞鍋明さんは、西条市の出身。二〇代の頃は、県外で料理の修業をしていて、一九九二年に帰郷。父が始めた店を継いだ。ある時、東京で食べた美味しい料理に、地元の食材が使われていたことに驚き、故郷の豊かさを再認識した。メニューを見直し、愛媛県内の約二五〇軒の生産者を訪ねて回ったという。二〇一九年には、スタッフの家族が属する、幻の黒茶の生産者「さつき会」と繋がり、共に黒茶のスイーツを開発。二〇一二年から西条市で取り組む「西条てっぱんナポリタン」も、マルブンでは、「ポンジュース」を隠し味に使う。「地域みんなが協力してこそ〝町おこし〟だ」と、隠さずレシピを共有した。地元に愛されてきた老舗の誇りを持って、創業から一〇〇年経った今も真摯に営業。手本にしたいご当地グルメがある。（神藤秀人）

Marubun Komatsu Main Store

1. **100 years since inauguration. An old family restaurant in a former inn for henro pilgrims.**
2. **Saijo Teppan Napolitan, a famous dish that uses "Pom" (locally produced mandarin) juice.**
3. **Menu that supports local farmers, such as sweet treats that use Ishizuchi Kurocha.**

In recent years, there is a trend in parts of Japan to revive local communities by creating new local cuisine that is affordable as the features of the region. In Saijo city, they came up with a dish called Saijo Teppan Napolitan. At Marubun, an old restaurant serving Italian food. Marubun serves dishes using seasonal local ingredients like pasta using Uwajima brand sea bream and Japanese-style pasta using soy sauce from Ozu, and all the dishes are superb. In 2019, the restaurant partnered Satsuki-kai, a group that produces the legendary Kurocha (black fermented tea), to develop Kurocha sweets. Marubun also uses Pom juice as a secret condiment in Saijo Teppan Napolitan, which Saijo city started promoting since 2012. Bearing the responsibility of a well-loved restaurant in the community, Marubun sets an example for local cuisine promotion. (Hideto Shindo)

※記事内の店舗は、改修工事のため、2020年3月9日から12月中旬まで、営業休止予定です。

7

いかだ屋

愛媛県宇和島市下波(したば)4496
Tel: 090-3182-7363
1日1組限定(5名〜)の完全予約制
不定休
松山自動車道 宇和島南ICから車で約20分

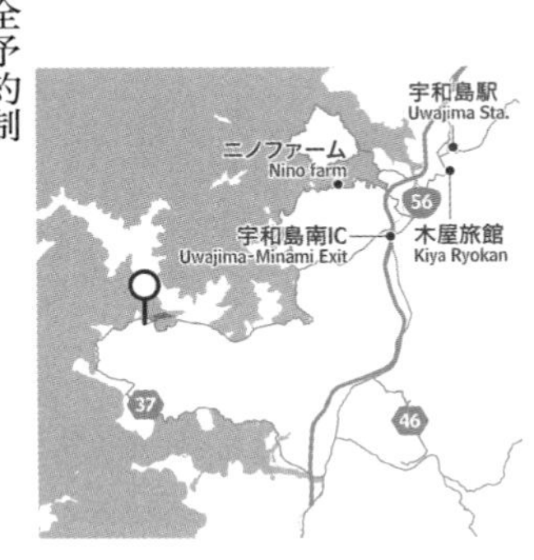

1. 現役の“真珠貝”の養殖屋が営む、海の上の食事処。

海にせり出た真珠の母貝「アコヤ貝」の作業場を改装した店舗。
店の先に伸びたイカダでは、アコヤ貝の養殖の現場を見学できる。

2. 目の前で調理される宇和海の魚介。

アコヤ貝の酢の物や、ヒオウギ貝の炭火焼き、養殖鯛の塩釜姿焼き、
じゃこ天、わかめのしゃぶしゃぶ(2〜3月限定)など、
漁によって、全15品以上の獲(と)れたてピチピチの大満足の食事。

3. 真珠や養殖のことなら何でも教えてくれる店主・芝磯美さん。

母校・宇和島水産高等学校と連携し、“海の副産物”を使った商品を開発。

美味(おい)しい副産物　日本一細長い半島といわれる「佐田岬(さだみさき)半島」を境に、愛媛県の南側には、宇和海が広がる。沿岸はリアス式海岸で、入り江を利用した養殖漁業が盛んだ。中でも真珠に注目してみる。真珠は、母貝であるアコヤ貝に「核(貝殻を丸く削ったもの)」を入れ、長い年月をかけて、真珠層と呼ばれる美しい成分で覆われることで出来ていく。真珠層は、母貝によって輝きはさまざまで、層の大きさや厚みも異なる。つまり、真珠の品質は、母貝の品質に大きく左右される。そんな宇和海の下波湾にある「いかだ屋」は、名前の通り、養殖業で使うイカダに隣接した食事処。店主の芝磯美さんの本業は、なんとアコヤ貝の養殖。一般的に、真珠づくりに不適格のアコヤ貝は、言うなれば“産業廃棄物”で、処理費用も莫大(ばくだい)。しかし、アコヤ貝の美味しさは、地元では誰もが知るところで、この副産物に価値を付けられないかと、二〇〇一年、店をオープンした。海にせり出た作業場を改装し、営業時間になると、大漁旗で豪快に店を覆う。まず、揚げたてのじゃこ天に始まり、ヒオウギ貝の炭火焼き、鯛の塩釜焼きに、イトヨリの素揚げ。漁によっては、生うにや、穴子の照り焼きなど、怒濤(どとう)の“海の幸”。極めつきは、アコヤ貝。身は酢の物やフライで、貝柱は塩コショウ炒めで、どちらも絶品。今では、冬(真珠の取り出し時期)の珍味としても重宝され、宇和島の新しい食文化にもなっているアコヤ貝。宇和海ならではのフルコースを堪能できる店。(神藤秀人)

Ikadaya

1. A seaside restaurant run by a currently operating pearl oyster farm.

2. Seafood from the Uwa Sea (Pacific Ocean) cooked right before your eyes, including Akoya pearl oysters.

3. Restaurant owner, Isomi Shiba, who will teach you everything about pearls and aquaculture.

Pearls are grown by implanting a small shell bead into the Akoya mother pearl oyster, which is then covered in beautiful layers of nacre over a long period of time to form the pearl. In general, Akoya pearl oysters that are unsuitable for pearl farming are deemed as industrial wastes that require huge disposal costs. However, locals know that the Akoya oysters are delicious. The owner thus got the idea of turning this by-product into food. In 2001, he opened Ikadaya and started to serve freshly fried fish cakes, charcoal grilled noble scallops, salt-baked sea breams, and deep-fried golden threadfin breams. Depending on the day's catch from the seas, he may serve raw sea urchin or teriyaki conger eel. But the star dish is the Akoya pearl oysters. The flesh is pickled or fried, while the adductor muscles are stir-fried with salt and pepper. Both are exquisite. A full course you can only get from the Uwa Sea. (Hideto Shindo)

8

コンテックス タオルガーデン 今治

愛媛県今治市宅間甲 854-1
Tel: 0898-23-3933
10時〜18時　月曜休（祝日の場合は翌日休）、年末年始休
kontex.co.jp
今治ICから車で約5分

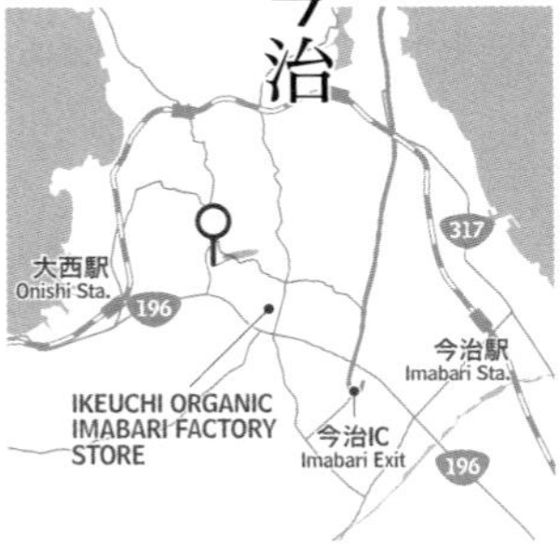

1. タオルメーカーが運営する、工場跡にあるタオル専門店。

赤レンガの織機工場をリノベーションしたショップとカフェ。要予約でタオル工場も見学可能。

2. 生地の織り方や素材が異なる、さまざまな自社ブランドのタオル製品。

裁断くずや残生地、ペットボトル再生繊維などを混紡した「RECYCLE」シリーズ。必ず使いたいタオルが見つかる。

3. 「今治ジャズタウン」などの会場にもなり、地元に開かれたタオルメーカー。

「今治ホホホ座」による、中山うり氏のライブツアーを開催。

豊かなタオル　普段、何気なく使っているタオル。我が家で、最近気に入っているのが、ベルギーワッフルのようなざっくりしたハンドタオル。見た目にも楽しく、使い心地もいい。そして、アウトドア派の自分専用には、速乾性の高いガーゼタオル。タオルといっても、素材も質感も違えば、デザインも用途も違って、もはや（棚の）隅に置けない名プロダクトだと思う。二〇一九年現在、「今治タオル工業組合」に属するタオルメーカーは、一〇四社。中でも、僕が今治に行けば、必ず寄った「コンテックス」。約四〇〇〇坪の工場の敷地内には、煉瓦造りの旧製織工場を改築したショップが併設。工場で作るほぼ全てのタオルが購入でき、予約をすれば、工場内の見学もできる。そもそもタオルの構造も歴史も知らなかった僕は、実際に動いている織機を前に、経糸と緯糸とパイルのことから、今治のタオルの特徴を教わった。その後、再びタオルを見ると、生地の複雑な組織に感心する。コンテックスは、一九三四年に創業して以来、自社企画でタオルを制作し、物流まで一貫して行なう経営理念がある。毎年、生み出される商品は、日本中のデザインホテルやセレクトショップで取り扱われ、そのアイデアも面白い。最近では、工場で出る端切れやペットボトルをリサイクルし、靴下やブランケットなどを作ったり、サスティナブルな活動も行なう。タオル製品そのものの価値感を見直させてくれた、今治を代表するタオルメーカー。（神藤秀人）

Kontex Towel Garden Imabari

1. A towel store run by a towel maker on an old factory site.
2. Various towels with different piles and waffles, cotton and linen, fabric weaves and materials.
3. A towel maker that also serves as a venue for "Imabari Jazz Town" open to local.

Within the roughly 1.3-ha plant is the towel store renovated from an old weaving mill built from bricks. Almost all the towels produced here are for sale and one can also visit the plant if a reservation is made ahead. I was initially clueless about the construction and history of towels, but soon learnt about the characteristics of Imabari towels by watching the warp and weft and 'pile' coming together before my eyes on the power looms. Ever since its founding in 1934, Kontex has a management philosophy of vertical integration; from producing their own towels down to the logistics. Every year their new products are carried to across Japan. They have recently started a sustainability program by recycling the fabric scraps and PET bottles from the plant and turning them into socks and blankets. Kontex is a leading towel maker of Imabari towels that has redefined the value of towels. (Hideto Shindo)

9

梅山窯

愛媛県伊予郡砥部町大南1441
Tel: 089-962-2311
8時5分〜16時50分（売店のみ営業の場合は12時30分から）
月曜休、年末年始休
baizangama.jp
松山ICから車で約20分

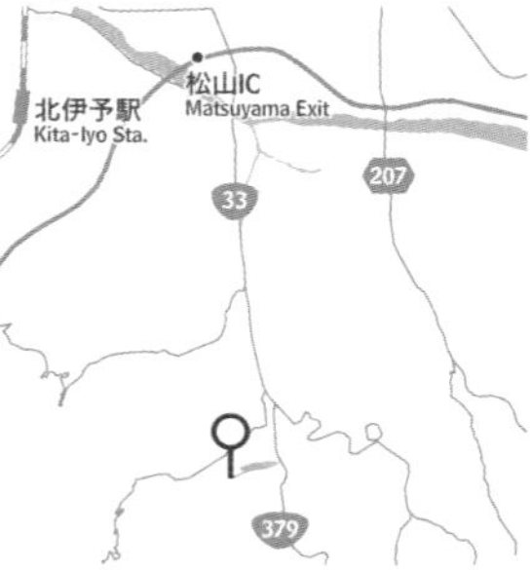

1. 愛媛県のものづくり「砥部焼」窯元の金字塔。

“民藝”の柳宗悦たちの来訪から飛躍した、歴史的窯元。
鈴木繁男や藤本能道の指導による、現代にも残る
砥部焼の基盤。それらは併設の資料館で知れる。

2. 砥部焼の代名詞「唐草文様」をはじめ、さまざまなデザインが購入できる。

呉須を代表する絵付けに、「くらわんか」や「伊予ボウル」など、
現在も県内で使われる定番デザイン。

3. ロクロ成形や鋳込み成形、自由に見学できる工房内。

2階で行なう絵つけは基本は見学できないが、
総勢30名の職人たちによる目を見張る“ものづくり”。

砥部のデザイン　愛媛県だけでなく、四国を巡っていると、飲食店にある〝共通点〟が浮かんでくる。例えば、讃岐うどん。香川県で約七〇〇店舗もあるうどん店の中でも、こだわりの強い店では、器にも気を使い、砥部焼の丼をよく見かけた。それは「唐草文」だったり、「太陽文」だったり、呉須（藍色の顔料）で美しく絵付けされた白磁器。いつしか運ばれてきた器が、砥部焼でないと、がっかりもした。そして、愛媛県に入るとさらに増え、喫茶店の珈琲カップや、フランス料理店の平皿、ビジネスホテルのサラダボウル……そんな砥部焼を語る上で欠かせないのが、「梅野精陶所（通称『梅山窯』）」だ。砥部焼のデザインの源流とも言える窯元。砥部焼の歴史は、奈良時代まで遡る。もともとは砥石の産地から始まり、その砥石屑から作られた白磁器。しかし、昭和初期、砥部は他の産地と比べて電動ロクロや銅板印刷などの導入が遅れ、不況と近代化により、堕落しかけていた。そこに、民藝運動の奨励者・柳宗悦たちが梅山窯を訪れる。当時としては、そうした〝手仕事〟が残っていることこそが、称賛に値したという。そして、柳の直弟子・鈴木繁男たちによる指導の末、実用食器の開発、量産のできる絵付け、現在に残る〝砥部ならではのデザイン〟が生まれたのだ。今では、梅山窯を巣立った職人たちによって、産地全域で技術が引き継がれ、砥部の暮らしを支えている。並ならぬ努力と、産地ならではの創意工夫――特集（p.112）に続く。（神藤秀人）

Baizangama Pottery

1. The monumental achievement of Tobe ware (Japanese porcelain) created in Ehime Prefecture.

2. Various designs are available for purchase, including the scroll patterns, representative of Tobe ware.

3. One can freely tour the workshop to see how the porcelain is shaped with potter's wheel and slip casting.

One cannot leave out Baizangama Pottery when talking about Tobe ware; they are said to be the pottery producer that created the current designs. The history of Tobe ware dates back to the Nara period. Tobe ware originated from the whetstone-producing area where the waste was turned into white porcelain. However, in the early Showa Era, the quality of Tobe ware was deteriorating due to the relatively slower introduction of electric potter's wheels, plaster molds, and copperplate printing in Tobe, recession, and modernization. It was then when Muneyoshi Yanagi, the founder of the Japanese folk craft movement, visited Baizangama. He praised them for their manual production of the porcelain. Under the guidance of Yanagi's apprentices, they developed tableware, painting for mass production, and the unique Tobe designs we see today. (Hideto Shindo)

ひなのや 松山三番町店

愛媛県松山市三番町 3-5-10
Tel: 089-993-7115
10時～18時　日曜、祝日休
大街道駅から徒歩約5分
hinanoya.co.jp

1. 東予の嫁入り文化、「ポン菓子(パン豆)」のデザインショップ。

丹原の工場で製造し、デザインある松山三番町店で販売。
壬生川駅前店では、自宅の米と砂糖を持ち込んで
「ポン加工サービス」も。“愛媛らしい文化”を継承する店。

2. 愛媛の米「松山三井」を使い、伊予柑や柚子など、愛媛ならではのポン菓子。

ブラッドオレンジピールが入った冬のパン豆『チョコ』や、
新宮茶を使った夏のパン豆『抹茶』などの季節限定商品も美味。

3. 地元のデザイナー・大近美香氏によるグラフィック。

松山三番町店の設計は、香川県の仏生山温泉の岡昇平氏。

伝統文化をお土産に　石鎚山からの伏流水に恵まれ、夏には淡い緑色の田園風景が広がる農村・丹原。どこの地方もそうだが、自給自足の暮らしは、都会の人からしてみたら憧れる。地域によって、祭りや祝いの方法も多種多様で、独特の文化が残っている。東予では、「結婚式の引き出物に、ポン菓子」といった、変わった風習が今でも伝わるという。ポン菓子といえば、駄菓子の定番。米を圧力釜に入れて加熱し、ハンマーで叩いて一気に減圧させ作る米菓で、ボンッ！という、激しい爆裂音と一緒にお菓子が弾け出るために、「ポン菓子」。しかし、そんな駄菓子が、なぜ引き出物に……最近では、愛媛のお土産としても喜ばれる、人気のポン菓子メーカー「ひなのや」で話を伺う。戦後から続くその風習は、「〝マメ〟に元気に暮らせよ」と、子を気遣う親心が込められ、周囲の人々へも福分けをする、という意味があるそうで、それは、堅実で優しい愛媛県の県民性を表している気もする。ひなのやのポン菓子は、丹原の風情ある古民家を改築した工場で作られる。松山の大街道からもほど近いショップで購入でき、全国へ届けている。伊予柑や新宮茶などを副原料としたポン菓子も魅力的で、パッケージも素敵。壬生川駅前店では、地元の農家さんが持ち込んだ米と砂糖を使って、オリジナルのポン菓子を作るなど、地域にも根づく、親しみ易さもある。素朴でいて、デザイン的。ひなのやのポン菓子は、東予の伝統文化の進化形である。（神藤秀人）

Hinanoya Matsuyama Sanbancho Shop

1. A store designing wedding favors (rice puffs) specific to Toyo's wedding culture.

2. Rice puffs with ***Iyokan*** or ***yuzu*** (Japanese citrus fruits) that can only be found in Ehime using local rice.

3. Graphics design by local designer, Mika Ochika.

In Toyo, the peculiar custom of using rice puffs as wedding favors is still around. I visited Hinanoya, a rice puff manufacturer, that is pleased to see this also becoming touted as an Ehime souvenir. I was told that this custom started after the war; it meant "to live in good health" and people could give it to their children and others to share their good fortune. Hinanoya makes their rice puffs at a factory that was once an elegant traditional Japanese house located at the back of a persimmon field in Tanbara, and they can be purchased in shops in Matsuyama. Their special rice puffs using *Iyokan* and local tea are also enticing. At their shop in front of Nyugawa Station, they still use rice and sugar brought in by local farmers to create customized rice puffs. Through their innovativeness, Hinanoya's puffs successfully sustain the local traditional culture. (Hideto Shindo)

11

リモーネ

愛媛県今治市上浦町瀬戸 2342
Tel: 0897-87-2131
11時〜17時頃　火・金曜休、臨時休業あり
www.limone2.com
大三島 IC から車で約10分

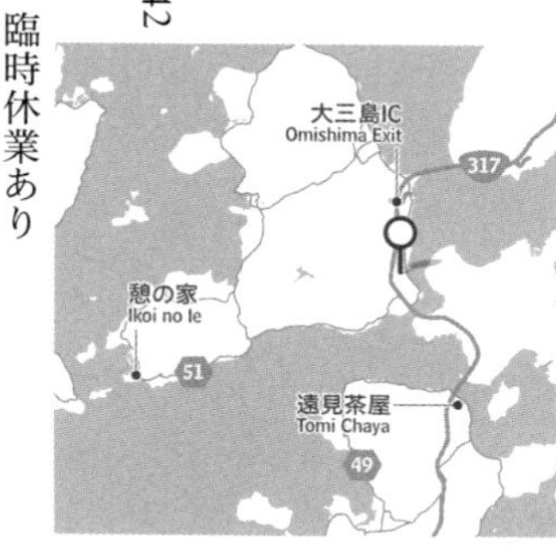

1. 大三島の有機レモン農家による、柑橘の加工品専門店。

リモンチェッロをはじめ、ジュースやジャム、ケーキ、ラングドシャなどの美味しい柑橘加工品。

2. サイクリストも大満足のレモネードや柑橘のフレッシュジュース。

「しまなみ海道」の旅で、もっとも寄りたい土産店。カフェ機能はわずかだが、アイスもなかなどで一息入れたい。

3. 移住者による耕作放棄地の復活から始まった大三島の有機農業。

ほとんどの柑橘農家が農薬を使う中、独自に園地開拓。西条市の「成龍酒造」など、共感する仲間がいる。

島のリキュール　自転車で初めて「しまなみ海道」を走った。来島海峡大橋の約四キロにも及ぶ一本道や、広大な瀬戸内海に浮かぶ島々のブルーライン……もちろんいつ来ても変わらないランドスケープも素晴らしかったが、何よりも一一月から翌年の一月にかけて、旬を迎えた柑橘類の多さには驚いた。特に大三島は、右を見ても左を見ても、温州みかんにポンカン、紅まどんなにはるみなど、オレンジや黄色の無数のドット。柑橘畑に沿うように、僕は、体力の限界まで無邪気に自転車を漕いだものだ。そんな大三島の旅で、ぜひ手土産にしたいのが、有機レモン農家による「リモンチェッロ」。農家だからできる、レモンをふんだんに使ったフレッシュで濃厚なお酒だ。「リモーネ」は、木造建築を改装した、柑橘の加工品専門店。店主の山﨑学・知子さん夫婦は、お酒好きが高じて、二〇〇八年、リモンチェッロをつくるために関東から大三島へIターン。耕作放棄地の〝ワイルドレモン〟から始まった有機栽培は、波瀾万丈だったと話す知子さん。肝心のリキュールづくりは、縁もあって、石鎚山系の名水が湧く西条市の「成龍酒造」の蔵で試行錯誤したという。現在は、製造免許を取得し、全て島内でつくっている。チェッロは、ラインナップも増えて、レモンに加え、ブラッドオレンジやライム、ネーブル、ペリーラなども。サイクリストも、レモネードや、アイスもなかで小休憩。大三島の恵みをギュウッと搾ったような店。（神藤秀人）

Limone

1. A specialty store of processed citrus products by organic lemon farmers in Omishima Island.
2. Their fresh lemonade and fresh citrus juices are a great welcome for the cyclists.
3. Organic farming on Omishima Island was started by emigrants who restored abandoned arable land.

A must-have souvenir to get on a trip to Omishima Island is limoncello (available for purchase at Limone, a store revamped from an old wooden liquor store), a refreshing, rich liquor made with plenty of organic lemons only possible by an organic lemon farmer. Couple-owners Manabu and Tomoko Yamazaki originally hailed from the Kanto region. Their love for alcohol led them to make limoncello on the island. Their organic farming of lemons on the abandoned arable land was "full of ups and downs". The key liqueur making process involved much trial and error at the cellar of the "Seiryo Brewery" in Saijo City. They acquired a manufacturing license and now produce all their limoncello on the island. Their cello liqueur line up has expanded. Cyclists take breaks and sip on lemonades and ice creams in Limone, a store that has distilled the blessings of Omishima Island. (Hideto Shindo)

12

サントリーバー露口

愛媛県松山市二番町 2-1-4
Tel: 089-921-5364
19時〜24時位（ただし、氷がなくなり次第終了）
日曜、祝日休、他不定休
大街道駅から徒歩約3分

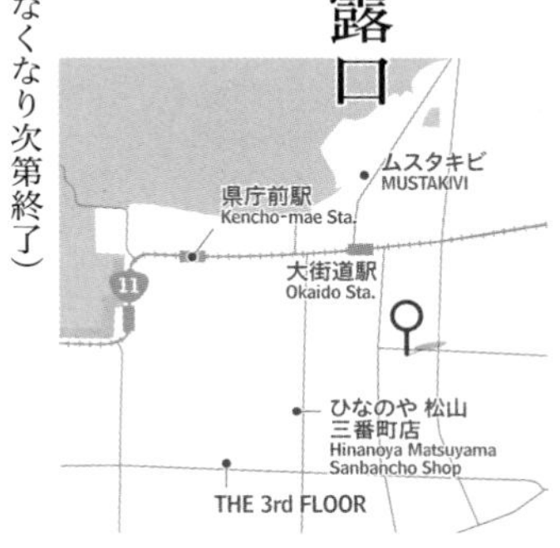

1. 1958年開業。松山の夜で、ひときわ賑わうカクテルバー。

大谷石の外観に、沙羅双樹のカウンター13席。
見るからに“ロングライフ”な名物バー。

2. 客の誰もが、間髪入れずに注文する“昭和のハイボール”。

不動の定番「角ハイボール」。伊予柑のスクリュードライバーや、
大三島レモンのトムコリンズなど、愛媛を知れる、柑橘の生搾りカクテル。

3. いつも優しい松山の顔、露口貴雄・朝子さん夫妻。

地元の人も有名人も観光客も一見さんも、みんな平等、和やかな店内。
愛媛県のキーマンも皆が集う、唯一無二の店。

ロングライフカクテル　松山の夜の定番、「サントリーバー露口」は、一九時にオープンすると、ポツポツと常連客が訪れ、二〇時を過ぎた頃には、たった一三席のカウンターはほぼ満席。出張中のサラリーマンや、テレビや映画の業界人、そして僕のような新参者まで、いつ行っても老若男女が集う賑やかなバー。露口といえば、客の誰もが注文する「角ハイボール」。「サントリーウイスキー角」とソーダと氷でつくる、一九五八年の開業からの定番メニューで、八オンスのタンブラーに、ウイスキー五〇ミリリットルという、濃いめの味。注文が入ると、慣れた手つきでハイボールを作る、マスターの露口貴雄さん。四国で初めてハイボールを提供した「露口」は、二〇二〇年で六二周年。今では、一日一〇〇杯は出るというハイボール目がけて、次から次へと扉が開かれ、たとえ満席だとしても、クイッとグラスを空けて、客が席を譲り合う光景は露口ならではだ。「ごめんねーまた来てね」と、気さくなママの朝子さんとのコンビネーションも抜群で、店内は初めての客ばかりでも、まるで家族のような空気に包まれる。角瓶やタンブラーを置くカウンターの一部は、斜めに削られ、長きにわたってカクテルを作ってきたことがわかるだろう。たまには柑橘を使ったカクテルに浮気もいいが、やっぱり僕もハイボール。もはや、〝地酒〟とも言える露口のハイボールは、松山で愛され続ける〝ロングライフデザイン〟だ。（神藤秀人）

Suntory Bar Tsuyuguchi

1. Opened in 1958, this cocktail bar livens up the nightlife in Matsuyama.

2. The "Highball of Showa" that every customer will order without a moment's delay.

3. Takao and Asako Tsuyuguchi, the kind and gentle couple who are the faces of Matsuyama.

When the bar opens at seven in the evening, regulars start to drift in one after another, and slightly after eight, the 13-seat counter is packed full. It is a lively bar that is always packed with men and women of all ages, including "salarymen" on business trips, people from the TV and movie industry, as well as newcomers like me. At Tsuyuguchi, everybody orders "Kaku Highball". Made by mixing Suntory Whisky Kaku with soda water and ice cubes, the drink has been a fixed item on the menu since the bar opened its door in 1958. With 150ml of whisky in an 8-ounce tumbler, it has quite a strong taste. Nowadays, there is a constant stream of customers who walk into the bar for that drink, with as many as 100 glasses sold a day. In Matsuyama, everyone goes to Tsuyuguchi. It can be said that the highball of Tsuyuguchi is a "long-life design" that continues to be loved by people in Matsuyama. (Hideto Shindo)

13

ムスタキビ

愛媛県松山市大街道3-2-27 美工社ビル 1F・B1F
Tel: 089-993-7496
10時～19時（木曜、日曜は18時まで）
火・水曜休、年末年始休、臨時休業あり
www.mustakivi.jp
大街道駅から徒歩約3分

1. 松山城の石垣を眺める茶房と、ギャラリー＆ショップ。

プロデュースは、砥部町出身のテキスタイルデザイナー・石本藤雄氏。元画材店をモダンにリノベーション。

2. オリジナルの砥部焼の器でいただく、愛媛県のお茶や和菓子。

砥部焼は、「すこし屋」。お茶は、石鎚黒茶や新宮茶など。和菓子は、地元の和菓子店「薄墨羊羹」のみかん羊羹など。

3. 愛媛県の作家をはじめ、さまざまな展示を開催する地下ギャラリー。

砥部の陶芸家・石田誠氏の『愛媛のやきもの展』などを開催。

晩成の愛媛らしさ　松山観光の中心「松山城」へ繋がるロープウェー街を歩くと、茶房「ムスタキビ」がある。もともと画材店だった空間をリノベーション。圧巻なのが、店内の奥にはだかる〝松山城〟。眼前に石垣を望む、めったにない物件だ。店内では、新宮町の煎茶やほうじ茶などが選べて、呉須や白磁のスタイリッシュな砥部焼でいただける。これまで見てきた砥部焼とは打って変わってモダン。店のプロデュースを手がけるのが、テキスタイルデザイナー・石本藤雄さん。フィンランドのファッションブランド「マリメッコ」で、数々のデザインを残してきて、この店のクッションカバーや椅子なども彼の作品だ。実は石本さん、砥部町のみかん農家の生まれ。フィンランドでも、幼少期に過ごした愛媛県の風景を創作の源としてきたという。陶器メーカー「アラビア」にも所属し、日本の侘と寂の情景を映したという陶作品。店の壁には、愛媛らしいみかんの作品も飾られている。また、地下のギャラリーでは、愛媛県にゆかりある作家や、石本さんと縁のある作家など、定期的に展示を開催。味のある老舗喫茶店で、ぽってり愛らしい砥部焼で珈琲をいただくのもいいが、グローバルな新進気鋭の作品たちに刺激され、地元のお茶と和菓子を、〝新しい砥部焼〟で味わうのもいい。喜寿を迎え、二〇二〇年からは、店の上にアトリエを構えるという石本さん。穏やかな愛媛の情景に、新たな風を吹き込ませている。（神藤秀人）

MUSTAKIVI

1. A café with a gallery and store affording views of the stone wall of Matsuyama Castle.

2. Serves tea and Japanese sweets produced in Ehime Prefecture in original Tobe ware (Japanese porcelain).

3. The underground gallery holds various exhibitions, including that of artists from Ehime Prefecture.

Walking along the Ropeway Shopping Street connected to Matsuyama Castle will lead you to "MUSTAKIVI", a café that was revamped from a former art supply store. Its highlight is the Matsuyama Castle located right behind the store. A rare spot with a floor-to-ceiling window and a stone wall in front of you. Patrons can order *sencha* or *hojicha* in stylish and modern cobalt blue or white Tobe ware, vastly different from the Tobe ware that I have seen thus far. The store was opened by textile designer, Fujio Ishimoto, who has created many designs for the Finnish fashion brand, Marimekko. The son of a mandarin orange farmer in Tobe Town, Ishimoto said that he used the sceneries of his childhood in Ehime Prefecture as a source of his creations in Finland. The basement gallery regularly holds exhibitions of artists related to Ehime Prefecture and those who have a

14

こけむしろ

愛媛県西予市宇和町 信里 2099
Tel: 080-3928-9276
10時～17時（L.O. 16時30分）
1月～3月 土・日曜、祝日のみ営業
4月～12月 月曜休（祝日の場合は営業）
大洲南 IC から車で約20分

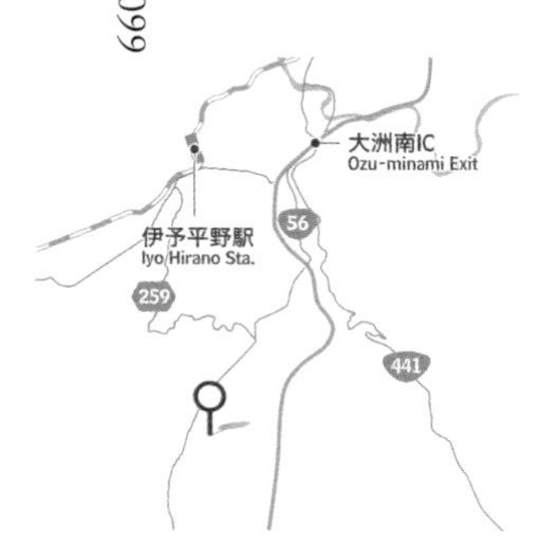

1. 宇和町の山の斜面を整地してつくりあげた苔の世界。

約5年かけて棚田を再生し、スギゴケやヒノキゴケなどの苔を栽培。閑散期でも、丁寧に落ち葉を取り除き、美しさを維持。お茶した後は、散策も可能。

2. 唐饅や苔まんじゅうなど、愛媛県を感じる珈琲セット。

宇和米の米粉を使った自家製シフォンケーキ。地下水を汲み上げ丁寧に淹れた珈琲は、砥部焼のポットで。

3. 鉄の看板やウッドデッキなど、ほとんどが手づくりの店。

地元の作家も利用するギャラリーを併設。

緑の聖地　南予では、沿岸からすぐに急峻な山になっている地形が多く、その斜面を利用してつくられた段々畑では、漁師の兼業農家による農業も盛んだった。石垣を組んで土砂崩れを防ぎながらも、わずかにできた平地を利用して、サツマイモやジャガイモが作られていたという。また、内陸の方では、田んぼに利用され、米どころとして稲作も暮らしに根づいていた。西予市にある「こけむしろ」は、かつての段々畑・棚田を利用した、苔と植物の庭園を持つ喫茶店。二〇〇〇平方メートルを超える庭園には、真っすぐに伸びる無数の杉や檜。地面一帯に広がるさまざまな苔や植物。緑色に覆われるその美しくデザインされた空間に感動する。丁寧に植栽されたスギゴケや、ヒノキゴケを踏みつけないように、配された飛び石の上を歩く。中には、キレンゲショウマやクマガイソウなどの希少な高山植物も育っているそうで、植物図鑑持参で、のんびりと散歩するのもいいだろう。早期退職後に、この土地で飲食店を始めたオーナーの村上安由さんは、〝苔筵〟をつくってみようと荒れていた裏山を整地。杉と檜を間伐し、石垣を復活させ、近隣の山から苔を移植した。そうして五年間かけてつくりあげた苔の世界。この土地ならではの自然環境を味方に付け、見事に庭園をデザインした。雨の後、木漏れ日が差し込む瞬間が、もっとも美しいといい、四国をはじめ、各地から癒しを求め、多くの人が訪れる。山を再生した清らかな場所。（神藤秀人）

Kokemushiro

1. A world of mosses created by levelling the land on the slope of a mountain in Uwa-cho.

2. A coffee and dessert set that is uniquely Ehime with treats like Toman and Kokemanju.

3. A shop that is practically hand-made featuring a sign board made of steel and a wood deck.

Kokemushiro is a café with a garden of mosses and plants built on former terraced rice fields. In the garden of over 2000㎡, there are numerous cedars and cypress trees with trunks that grow straight and tall. The entire ground is carpeted with a variety of mosses and plants. I walk around on stepping stones arranged on the ground to avoid trampling on the carefully cultivated mosses. The garden also has rare alpine plants. The owner tidied the overgrown mountain, thinned the trees, rebuilt old stone walls and transplanted mosses from nearby mountains. Over a period of five years, he created a world of mosses and designed a splendid garden by leveraging the unique local natural environment. The moment when sunlight filters through the trees after rainfall is said to be the most beautiful, and visitors come from all over Japan in search of a serene experience. (Hideto Shindo)

15

遠見茶屋

愛媛県今治市宮窪町宮窪 6363-1
Tel: 0897-86-2883
10時～16時（L.O. 15時30分）
月～金曜休（祝日の場合は営業）、12月～3月末休
大島南ICから車で約15分

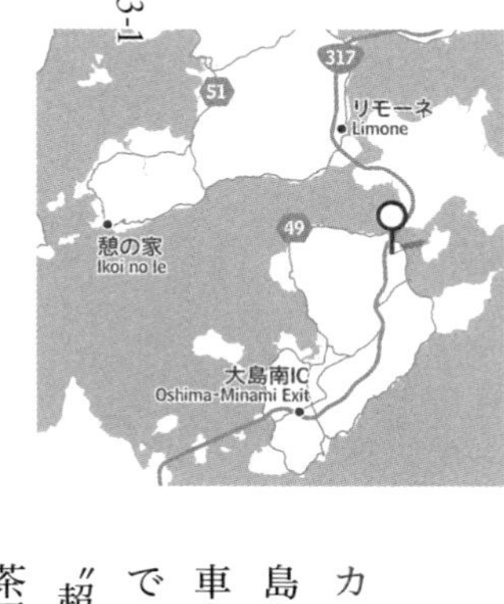

1. しまなみ海道、大島の「カレイ山展望公園」にある絶景喫茶。

瀬戸内の潮流や「村上水軍」の城跡、石鎚連峰までも望める素晴らしい景色。窓がない、断崖にせり出した開放感ある店。

2. 採石場に近く、「大島石」を使った店づくり。

大島石のアプローチに、大島石のカウンターやテーブル。大島石を釉薬にした器なども展示・販売。「大島石文化体験ツアー」も実施。

3. 大島産のレモンの「ハニーレモン」など地産地消のメニュー。

瀬戸内海の天然の鯛を使った「カレイ山カレー」も絶品。

カレイ山の恵み　しまなみ海道は、瀬戸内海に浮かぶ島々を結ぶ、全長約六〇キロの絶景観光スポット。道中、車を停めては、カメラ片手に何度もその景色に惚れ込んでいた。そんな島々の中で、特に僕が、ベストと称したい〝超絶景スポット〟が、大島のカレイ山展望公園の「遠見茶屋」だ。自転車で行くと、長距離の坂道を登ることになるので、車での移動を勧める。また、営業期間が、四月から一一月（八か月間）の週末限定なので、前もってスケジュールを立ててほしい。大島は、国内最高級といわれる銘石「大島石」の産地。島内にはおよそ二〇もの採石場がひしめき、墓石としては香川県の「庵治石」よりも重宝されるほど。その大島石の採石場もある、標高二三二メートルのカレイ山の断崖にせり出すように店はある。店内の海側は窓も壁もないオープンテラスの開放的な空間（落ちないように要注意）で、天気のいい日には、石鎚山から四国山地まで見渡せるという。眼下に見える「村上水軍」の能島と鯛崎島の周辺は、今でも天然の鯛が生息していて、産卵期には海が〝鯛色に染まる〟と云われる。地域おこしの一環で、二〇〇七年にオープンした遠見茶屋。大島石の一枚岩を贅沢に使ったテーブルやカウンター、採石現場を見学するツアーを実施するなど、大島の魅力を伝えている。鯛のカレーやハニーレモンなどの地産地消の料理も美味しい。〝愛媛県一の瀬戸内海〟を借景に、土地の〝ものづくり〟を知れるカフェ。（神藤秀人）

Tomi Chaya

1. A café with superb views located on the Mt. Karei viewing platform in Oshima along Shimanami Expressway.
2. Café was built with Oshima granite since it's near the Oshima Stone Quarry.
3. Uses local produce in their meals such as "Honey Lemon", a lemon from Oshima.

Of the islands along the Shimanami Expressway (within Ehime), the spot with the best scenic views in my book is the Tomi Chaya located on the Mt. Karei viewing platform in Oshima. Oshima is the production center of Oshima granite. Therein also lies the Oshima Stone Quarry as well as the café atop the cliffs of Mt. Karei at 232 metres above sea level. The sea-facing side of the café is an open terrace with no walls or windows. On a sunny day, one can see from Mt. Ishizuchi to the Shikoku Mountains. Tomi Chaya opened in 2007. To convey the island's charm, the café has luxurious tables and counters made from Oshima granite monoliths and offers tours in the quarry. The café serves delicious meals made with local produce such as sea bream curry and honey lemon. With the best view of the Seto Inland Sea in Ehime, one can learn about local manufacturing in this café. (Hideto Shindo)

16

瀬戸内リトリート青凪

愛媛県松山市柳谷町(やないだにまち) 794-1
Tel: 089-977-9500
1泊2食付き1名 51,975円~（2名利用時）
www.setouchi-aonagi.com
松山駅から車で約30分

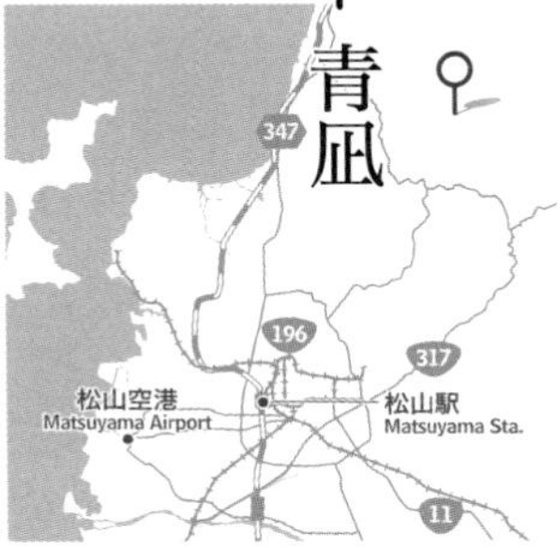

松山空港
Matsuyama Airport
松山駅
Matsuyama Sta.
347
196
317
11

1. 愛媛の海と山を同時に味わえるロケーションのデザインホテル。

全室スイート。西側の壁一面ガラスの夕日が美しい客室。
安藤忠雄氏設計の「大王製紙」の元プライベートゲストハウス。

2. 砥部焼(とべやき)や今治タオルなど、愛媛のものづくりの最高峰を集結。

愛媛県の食材をふんだんに使った"瀬戸内旅懐石"。

3. クラウドファンディングで成功させた、愛媛の新しいイベント『文化音楽芸術祭』。

プライベートパーティーなど、県内外、
多くの人を魅了する特別なコミュニティースペース。

変わらないホテル　愛媛に来て、僕にとってもっとも〝愛媛らしい〟と感じる景色は、〝凪(なぎ)〟だと思う。風の無い海。光がわずかに揺れる水面に反射し、穏やかな時間がずっと続いていくような、揺るがない世界。そんなイメージを抱きながら、愛媛を旅してきた。それを一番に体感したのが、この「瀬戸内リトリート青凪(あおなぎ)」だ。全室スイート、一日たった七組限定だが、そのプライベート感がこのホテルの特徴とも言える。西側を向いた一面ガラス窓のリビングからは、瀬戸内の海と島、そして広島県や山口県までも望む、絵画のように静かなほど美しい景色。こんなにロマンチックなロケーションのホテルだが、実は意外な側面も魅力的。二〇一九年には、『文化音楽芸術祭』と題し、クラウドファンディングで支援を募り、三日間にわたってイベントを開催し、約四〇人ものアーティストが参加した。映画上映やトークセッション、音楽ライブやインスタレーション、写真展示やキッズワークショップ、さらには、自転車のライドツアーまで。一九九八年完成の安藤忠雄建築は、当時「エリエール美術館」として一部が公開され、限られた人だけが滞在するゲストハウスだったという。そして二〇一五年、満を持してラグジュアリーホテルとして一般公開。生まれ変わったホテルには、変わらない大切なものがある。ゲストを〝お接待〟するという慈しみと、青く穏やかな瀬戸内の景色。愛媛ならではの、ホスピタリティーとデザインがある。（神藤秀人）

Setouchi Retreat Aonagi

1. **A designer hotel in a location where one can enjoy the sea and mountains of Ehime.**
2. **An integration of the pinnacles of Ehime's creations: Tobe ware and Imabari towels.**
3. **The "Culture and Music Arts Festival" that was successful through crowdfunding.**

The draw of this all-suite boutique hotel is its sense of privacy: only up to seven groups of guests can stay here each day. The west-facing living rooms with floor-to-ceiling glass windows afford a picturesque and peaceful scenery of the Seto Inland Sea and islands. With its romantic location, the charming hotel continued to surprise me: it held the crowdfunded "Culture and Music Arts Festival" over three days in 2019 where about forty artists participated. The festival included film screenings and talk sessions, live music and installation art, photo exhibitions and kids' workshops, and even cycling tours. This hotel was designed by architect Tadao Ando, and was completed and partially open to the public at the time as the "Elleair Museum of Art" as a private guesthouse for limited guests in 1998. It was only opened to the public as a long-awaited luxury hotel in 2015. (Hideto Shindo)

17

木屋旅館

愛媛県宇和島市本町追手 2-8-2
Tel: 0895-22-0101
1泊軽朝食付き　施設利用料 22,000円＋
1人につき5,500円（冬季は要確認）
ショップ 10時〜15時
kiyaryokan.com
宇和島朝日ICから車で約5分

1. 宇和島の老舗旅館を最小限にリノベーション。

作家の司馬遼太郎なども滞在した、築100余年旅館を改修。
洗面所や浴室など、もとある設えを有効活用。

2. 宇和島を中心とした“ものづくり”を、センス良く紹介するショップを併設。

「柑橘ソムリエ愛媛」のジュースや、「泉貨紙」のコースター、
「黒田旗幟店」の大漁旗のバッグなどの宇和島土産が充実。

3. 宇和島を熟知した支配人がいる観光案内所。

JNTO（国際観光振興機構）認定の国際観光所。
宇和島のことなら支配人のグレブ・バルトロメウス氏にお任せ。

宇和島の魅力をリニューアル　宇和島は、柑橘の栽培や、真珠や鯛などの養殖が盛んで、世界的なアーティスト・大竹伸朗氏も在郷する、現代の愛媛県の要所。一見古く寂れたシャッター商店街「きさいやロード」も、所々に祀られる宇和島の守り神「牛鬼」によって、どこか活力を感じてくる。そんな宇和島で、必ず訪れたいのが「木屋旅館」だ。支配人のグレブ・バルトロメウスさんが常駐している旅館併設のショップに行けば、流暢な日本語で、宇和島のことなら何でも教えてくれる。彼自身、『宇和島deep』というオンラインマガジンを発行するほどの〝観光大使〟。宇和島の「柑橘ソムリエ愛媛」のジュースや、「miu」の真珠のアクセサリーなど、オリジナルから定番商品までさまざまあって、定期的にギャラリーとしても開放している。旅館は、一日一組限定で、基本は朝食付きだが、ぜひ、朝晩ともにグレブさんのお薦めの飲食店を、巡ってほしい。ちなみに、夜の「レッドブーツ」と、朝の「やまこうどん」は、僕の定番。築一〇〇余年の老舗旅館を、建築家・永山祐子氏設計により、二〇一二年に再生。光を取り込むように工夫された、床に透明アクリル板を用いた二階和室などは、「アートエンターテイメント空間」というアプローチだそう。心地いい〝ほったらかし感〟があって、司馬遼太郎もこもったと噂の書斎で、僕も記事を執筆した。「じゃこ天」「泉貨紙」「凸凹神堂」「闘牛」「大竹伸朗」……宇和島の魅力を再構築する新しい観光旅館。（神藤秀人）

Kiya Ryokan

1. A long-established and minimally renovated ***ryokan*** (traditional Japanese inn) in Uwajima City.

2. Comes with a gift shop that introduces Uwajima's craftsmanship in a tasteful manner.

3. It also houses a tourist information center run by a manager who is deeply familiar with Uwajima.

A must stop location in Uwajima is the Kiya Ryokan that also has a gift shop, run by resident-manager Bartholomeus Greb who will tell you anything you want to know about the city in fluent Japanese and English. Greb is a tourism ambassador that even publishes his own online magazine about the city called "Uwajima deep". The gift shop is stocked with regular items such as juices from "Citrus Sommelier Association" and pearl jewelry from "miu" in Uwajima. The *ryokan* is also regularly used as galleries. This over a century-old long-established traditional Japanese inn was revamped in 2012 by architect Yuko Nagayama. Her design approach was to create an "art entertainment space" by using transparent acrylic boards for part of the second floor where the Japanese-style guest rooms are to capture the incoming sunlight. (Hideto Shindo)

18

大三島
憩の家

愛媛県今治市大三島町宗方5208-1
Tel: 0897-83-1111
1泊2食付き1名 洋室16,500円〜（2名利用時）
和室7,700円〜（4名から利用可）
www.ikoinoie.co.jp
大三島ICから車で約20分

1. モダンにリノベーションされた旧宗方小学校の泊まれる教室。

伊東豊雄氏率いる「伊東建築塾」による改修。
バス・トイレ、Wi-Fi完備。海の見える大浴場あり。
デザインホテル並みの居心地良さ。

2. 大三島をはじめ、しまなみ海道の旅の拠点。

敷地内には「岩田健母と子のミュージアム」や、
「大三島みんなのワイナリー」が併設。

3. 瀬戸内海の潮流・来島海峡の魚介類を使った食事。

宮浦の料理旅館「茶梅」が母体。
鯛めしやアコウの煮つけ、オコゼの唐揚げなどの美味しい料理。

居心地のいい学校　僕は、「しまなみ海道」から望む、瀬戸内の景色を堪能しながら愛媛県の最南端、大三島に入った。三〇キロ弱の道のりを自転車で走り、世界有数の斜張橋「多々羅大橋」を目前に、多々羅しまなみ公園でひと休憩。しまなみ海道には、車道に青い誘導線が引かれ、道端の地図に従って走れば、主要の目的地まで案内してくれる。しかも、島々の商店や民宿、カフェなどが〝サイクルオアシス〟に加盟していて、空気入れの貸し出しや、給水、トイレの利用などを、提供もしてくれる。体力もだいぶ回復したところで、最終目的地「大三島 憩の家」を目指す。過疎化が進み、一九八六年に廃校になった旧宗方小学校。その木造校舎を利用した宿泊施設だ。二〇一八年に「伊東建築塾」によってリニューアルされ、バス・トイレ、Wi-Fi完備のモダンな洋室が、五部屋（1の1〜1の5）完成。日本中の廃校利用の宿泊施設でも、格段に居心地がいい。愛知県の「カリモク」の『大三島チェア』など、デスクワークにも最適な元教室。他の教室もレストランに利用され、鯛めしやアコウの煮つけなど、潮流・来島海峡の〝海の幸〟も絶品。二階は町のコミュニティースペースにも活用していくそう。海を望む大きなガラス窓が特徴的な、大浴場で旅の疲れを癒す。目の前の海は、夏には、当時の子どもたちにならって海水浴場に。地元の祭り「十七夜祭」の後に続くイベントも開催。大三島に残る、今も昔も大切な〝憩いの学校〟。（神藤秀人）

Omishima
Ikoi no Ie

1. **Stay in modern, renovated rooms of the former Munakata Elementary School.**
2. **A base for traveling along the Shimanami Kaido Expressway, including Omishima Island.**
3. **Serves meals using seafood caught from the tidal current of the Seto Inland Sea and Kurushima Strait.**

I cycled along the Shimanami Kaido to get to the Ikoi no Ie, an inn converted from the former wooden elementary school that closed down in 1986 due to depopulation. Renovated in 2018, it has five modern Western-style rooms complete with ensuites, toilets and Wi-Fi. It is much more comfortable than any other inns in Japan converted from defunct schools. With custom made furniture, these former classrooms are ideal for desk work too. Another classroom serves as their restaurant to serve exquisite meals using seafood from the local sea, such as sea bream on rice and red grouper stew. The second floor will be used as a community space in the island. Get rid of your travel fatigue by soaking in the large public bath featuring a huge glass window overlooking the sea. The sea before your eyes transforms into a beach in summer. (Hideto Shindo)

19

道後館

愛媛県松山市道後多幸町7-26
Tel: 089-941-7777
1泊2食付き1名 21,750円〜(2名利用時)
www.dogokan.co.jp
道後温泉駅から徒歩約7分

1. 松山城を望む、道後で最も高台にある温泉旅館。

道後温泉という観光地と名前に恥じない接客とサービス、食事、そしてデザインが伴う名旅館。

2. 外観は船をモチーフに、館内は水と旅がテーマの黒川紀章設計。

松山城下を望む、モダンなデザインの最上階客室。瀬戸内の船会社が経営。

3. 宿泊者限定、「儒安堂」の"茶室体験"。

京都「誓願寺 竹林院」にあったと伝えられる数寄屋造の茶室を再現。毎晩、茶道の先生によるお点前の体験もできる。

道後の旅の行方　古くから道後の温泉街には、飲食店が少なかった。「道後温泉本館」などで、ひと風呂浴びた観光客は、ちょっと"赤提灯"にでも寄って、地元ならではの酒場体験でもしようか、なんてことは、最近のことのようで、皆、宿泊する旅館で、夕食を済ませ完結していたという。今でこそ街は賑わいを見せ、郷土料理「鯛めし」の専門店もあれば、「坊っちゃん団子」や「タルト」などの喫茶店もあるが、比較的営業時間が短い傾向にある。そういう道後界隈の地域性を知った上で、僕は「道後館」に泊まりたい。船会社が母体というだけに、外観は巨大な客船をモチーフにしている。ロビーに入ると、ひときわ目立つアルミ製の滝を模したモニュメント。吹き抜けになった二階のレストラン部分から水が湧き出ていて、館内を流れ、露天風呂やラウンジなど繋がるような仕掛けだ。当館設計の建築家・黒川紀章のデザインで、「人の巡りと水の巡り」をテーマにしている。道後でもっとも高台にある恵まれた立地のため、幾何学的模様の格子を設えたモダンな最上階客室からは、松山城下の夜景が広がる。そして、郷土の食材を活かした美味しい夕食の後は、宿泊者限定の「儒安堂」の"茶室体験"を。京都の「誓願寺竹林院」の古田織部好みの茶室で、お点前の指導を受けられる特別な時間だ。黒川紀章による現代建築の宿泊棟と、宮大工による歴史ある数寄屋造の茶室。「共生」という、これからの観光地のあるべき形を体現している。(神藤秀人)

Dogokan

1. An onsen ryokan (Japanese-style hotel with hot spring) located on a hill overlooking the Matsuyama Castle.

2. The exterior is shaped like a ship with a water-and travel-themed interior designed by Kisho Kurokawa.

3. Japanese tea ceremony experience available only for overnight guests at their tearoom, Juan-Do.

The exterior of the hotel is built like a giant cruise ship. An eye-catching aluminum monument resembling a waterfall greets you when you enter the lobby. Water gushes from a well hole from the restaurant on the second floor, flowing through the main hotel that connects to the open-air bath and lounge. The hotel was designed by architect Kisho Kurokawa based on the theme of 'movement of people & flow of water'. Its blessed location on the highest hill in Dogo affords a superb night view of Matsuyama Castle from the top floor guest room. After a sumptuous dinner made with local produce, hotel guests can learn how to make Japanese green tea and tea ceremony etiquette in the tearoom, Juan-Do. A contemporary architectural hotel and a traditional Japanese tearoom: Dogokan embodies the perfect future sightseeing spot that combines the old and the new. (Hideto Shinto)

IKEUCHI ORGANIC 代表

池内計司

愛媛県今治市延喜甲 762
(IKEUCHI ORGANIC IMABARI FACTORY STORE)
Tel: 0898-31-2255
9時～17時30分　土・日曜、祝日休、年末年始休、他不定休
www.ikeuchi.org
今治駅から車で約10分

1. 今治のタオルに新たな魅力をつくった人。

“風で織るタオル”“食べられるタオル”など、タオルに新たな価値をつくっている。100パーセント風力発電。全ての商品のオーガニック化を目指す。

2. 今治だけでなく愛媛を盛り上げるリーダーシップ。

タオルを介して地元を活性化する、ファンミーティング。『文化音楽芸術祭』などのトークにも参加。

3. 1953年創業。工場の一部をファクトリーショップに。

現役の木造織機工場の一部をショップに改装。同社監修の洗濯乾燥機など、世界中から注目されるブランドの代表。

タオルの文化人　初めて聞いた時に、たかがタオルだろう、と思った「コットンヌーボー」。毎年、一一月にワイン好きが心待ちにするボジョレーヌーボーにちなんで、その年に収穫したオーガニックコットンだけを、使用して糸をつくり、タオルを織り上げた「IKEUCHI ORGANIC」の人気商品だ。二〇二〇年版を抱えながら、「絶句するくらいソフトな風合い」と、自信を見せるのは、代表の池内計司さん。出張が多い代表が生んだ超軽量・超速乾の「オーガニックエアー」は、バスタオルで当時の「iPhone 6」の重さとほぼ同じ一七五グラムという劇的な軽さで、僕も愛用している。他の今治のタオルと比べ、デザインだけではなく、環境や安全面にも取り組む、独自の商品開発に僕は感銘を受けた。二〇七三年までに、〝赤ちゃんが食べられるタオルをつくる〟という企業指針を持つIKEUCHI ORGANICは、一九五三年に今治で創業。全製品が、世界最高水準の安全な繊維の証しである『エコテックス®スタンダード100』をクリアした。池内さんの活動は、このタオルをベースに、多岐にわたる。例えば、デザインホテル「青凪」で開催した『文化音楽芸術祭』のトークに呼ばれたり、二〇二〇年からJ3昇格が決まった「FC今治」のサポートの一環で商品開発するなど、これからの愛媛を担っていく若者たちの憧れでもある。今では都会のホテルや銭湯にも「IKEUCHI」のタオルは起用され、ご本人も各地に引っ張りだこ。タオル屋にして、愛媛の文化人。（神藤秀人）

IKEUCHI ORGANIC
Keishi Ikeuchi

1. A person who created and infused new charm into Imabari towels.
2. His leadership has revitalized not just Imabari, but Ehime as well.
3. Established in 1953, where a part of the plant is converted into an outlet store.

When I first heard of "Cotton Nouveau", I thought it was just towels. Named after the Beaujolais Nouveau that wine lovers look forward to every November, Cotton Nouveau is an "IKEUCHI ORGANIC" bestseller weaved from threads using only organic cotton harvested in the year. CEO, Keishi Ikeuchi, is confident as he holds the 2020 version of the towel.The ultra-light and ultra-fast-drying bath towel – which I love and use as well – under the "Organic Air" series created by the frequent-flying CEO is only a mere 175 grams, almost as light as an iPhone 6 then. Compared to other Imabari towels, I was impressed with the unique product development that not only considered the design aspect, but the environment and safety ones as well. All their products have passed the "Oeko-Tex® Standard 100", evidence that their textiles passed the world's highest standards for safe textiles. (Hideto Shindo)

THE 3rd FLOOR
松波雄大

愛媛県松山市千舟町 4-6-2 3F
Tel: 089-909-3010
www.t3f.jp
松山市駅から徒歩約10分

1. 松山のイベントスペース「THE 3rd FLOOR」代表。

トークセッションやワークショップ、さまざまに利用可能な
コミュニティースペースの管理人。全国から集まるメディアの案内人も。

2. 縦横無尽に松山を活性化させる、若き松山市議会議員。

松山は暇なんです——“真面目”と揶揄(やゆ)される愛媛県を、
内側から変える強い意志を持った人。

3. 松山を“沸騰”させた「道後オンセナート」。

2014年に仲間と共に、道後温泉本館をメイン会場にアートイベントを開催。
その後も、「松山城ビアマウント」や「POPUP LIBRARY」など、
松山に新たな魅力をつくっている。

松山の波　松波雄大(まつなみゆうだい)さんとは、旅の始めに出会った。この『d design travel』の公開編集会議の会場として、彼の実家が営むケーキ店が入る、雑居ビルの三階を貸してくれたことがきっかけだ。そこは、ご自身の活動拠点にもなっていて、骨董市や、金継ぎ教室、音楽ライブ、トークセッション、アパレルブランドの展示会など、さまざまに利用される「THE 3rd FLOOR」。また、四階のゲストルームは、県外からの客人が滞在できる。そんな松波さんの本業は、なんと松山市議会議員。松山出身の松波さんは、東京でプロデュース会社の勤務を経て、再び故郷に戻ってきた。そこで刺激のない松山に、新しい魅力をつくろうと、仲間のデザイナーたちと共に『MATSUYAMAまちサーベイ』を発足。みかんの花見をしたり、宇和米を楽しんだり、さまざまイベントで地域を盛り上げてきた。二〇一四年には、改築一二〇周年を迎えたばかりの「道後温泉本館」を巻き込んだ『道後オンセナート』を主宰。参加アーティストに、草間彌生・皆川明・石本藤雄・和田ラヂヲ・蜷川実花・他(以上、敬称略)……松山だけでなく愛媛中が熱狂した。その後も、『道後アート』として続き、二〇一九・二〇年には、日比野克彦氏を総合プロデューサーに迎えた。だが、彼の計画はさらに先にあった。松山市議会議員になり、内側から松山の魅力を変えていく。若者たちに〃暇〃と言わせせないまちづくりが根本にある。松山の雄大な夢に向かって旗揚げしている人。(神藤秀人)

THE 3rd FLOOR
Yudai Matsunami

1. CEO of "THE 3rd FLOOR", an event space in Matsuyama.

2. A young Matsuyama city councilor who aims to revitalize Matsuyama in every way possible.

3. "Dogo OnsenArt" (an art event) that enlivened Matsuyama.

"THE 3rd FLOOR" is founded by Yudai Matsunami. But truth be told, he is actually a city councilor with the Matsuyama city. But before this happened, he was living in Tokyo. He then returned to his hometown of Matsuyama and found it unexciting and dull. Wanting to inject new charm into the city, he launched "Matsuyama Machi Survey" with his designer friends to enliven it with various events. In 2014, he held the "Dogo OnsenArt" event involving the Dogo Onsen Main Building which was celebrating the 120th anniversary since its rebuild. Participating artists included Yayoi Kusama, Akira Minagawa, Fujio Ishimoto, Radio Wada, and Mika Ninagawa...the frenzy spread throughout the Ehime Prefecture, not just Matsuyama. But Matsunami has a bigger plan: to transform Matsuyama's charms from within as the city councilor. (Hideto Shindo)

ニノファーム
二宮新治

www.ninofarm-uwajima.com
citrus-sommelier.com

1. 宇和島の白浜地区を拠点とする若き柑橘農家。

「温州」「伊予柑」「ポンカン」「せとか」「はるか」「紅まどんな」……
全ての特徴を熟知し教えてくれる。段ボールやジュース、
「GOOD MORNING FARM」のジャムなど、デザインがある。

2. NPO法人「柑橘ソムリエ愛媛」理事長。

西予市の井上真季氏によるアートディレクション。
年間35種類が揃う、農家も兼任する仲間たちのオリジナル柑橘ジュース。

3. 総勢25名（随時変動）による柑橘ソムリエの活動。

イベント出店、利きみかん、『柑橘ソムリエライセンス制度』、
さらにみかんの木で作ったギターでライブをする愉快なメンバーがいる。

みかん仲間　軽快なフットワークで段々畑を駆け上がり、「はるか」（柑橘）を僕に獲ってくれたのは、宇和島の柑橘農家の二宮新治さんだ。「はるか」は、黄色い見た目（皮）の印象に比べて、中身（味）のギャップが面白く、甘かった。僕がこの旅で出会った中で、一番のお気に入りの柑橘だ。他にも、「せとか」、「甘平」など、都会ではほとんど食べない（そもそも売っていない）ような柑橘を獲って、一つ一つ細かに特徴を教えてくれた。二宮さんは、宇和島で三代続く柑橘農家出身で、祖父は漁師との兼業農家だったという生粋の宇和島人。愛媛の柑橘は、他の産地と比べて〝多品種少量生産〟が特徴。細かなものまで含めると、二〇〇種類近くあるというから驚きだ。彼の園地では、約二〇種を栽培。ゴルフボールほどの小さくて黄色い「黄金柑」は、この地域でも珍しいらしい。そして、二宮さんは、宇和島を拠点とした柑橘農家の若者たちと結成した「柑橘ソムリエ愛媛」の理事長も務める。地元デザイナー・井上真季さんのアートディレクションも素敵で、農家たちだからできる年間三五種類のジュースは、どれを買おうか迷うほどに、見た目も美味しそう。二〇二〇年春には、柑橘ソムリエライセンス制度も開設するという。「柑橘はサブカルチャーである」と、二宮さん。全国区の〝愛媛のみかん〟だが、まだまだ未開拓なみかん。〝みかんギター〟を引っ提げ、ライブ活動する仲間たちと共に、愛媛の文化〝柑橘〟を全国に発信している。（神藤秀人）

Nino Farm
Shinji Ninomiya

1. A young citrus farmer based in Shirahama district of Uwajima.
2. President of the "Citrus Sommelier Association" (NPO) in Ehime.
3. 25 members (number may vary at any time) carry out citrus sommelier activities.

Shinji Ninomiya of Nino Farm, a citrus farmer in Uwajima, ran up the terraced fields with nimble feet to harvest some "Haruka" (sweet yellow citrus) for me. A characteristic of Ehime's citrus fruits is the high-mix low-volume production compared to other citrus-producing localities. I was shocked to find out there are nearly 200 cultivars in all. He grows about 20 cultivars in his farm. Ninomiya is also the president of the "Citrus Sommelier Association" formed by young citrus farmers based in Uwajima. The stylish art of the labels by the local designer Maki Inoue combined with the 35 different types of juice a year all look so delicious that I had trouble making my decision. I was told that a citrus sommelier system will be set up in the spring of 2020. With Ehime's mandarin oranges sold all over Japan, it seems that this citrus still holds much potential for further development. (Hideto Shindo) d 23

工藤省治

春秋窯

1. 現在の「砥部焼」のデザインの基盤をつくったキーマン。

砥部焼の代名詞ともいえる「唐草文」をはじめ、
梅山窯の「菊文」「蝶文」などの文様を生み出した人。

2.「梅山窯」と共に人生を歩み、砥部の暮らしを守った。

梅山窯の職人であり、地域の人たちに絵付けなどの技術を伝授。
「砥部焼陶芸塾」など、焼物産地としての発展にもっとも貢献した人。

3. 1974年、陶磁器研究工房「春秋窯」を開窯。

「刻花」と「飛びカンナ」を組み合わせるなど、
生涯、砥部焼の可能性を模索した。

砥部を守った人　昭和初期、衰退しかけていた砥部は、民藝運動の柳宗悦たちにより心機一転した。主に、「梅山窯」を中心とした砥部焼の産地に残る〝手仕事〟が評価されたのだ。そして、当時の窯の中で、人並み外れたデザイン力を持ち、砥部焼の飛躍にもっとも貢献した人物が、工藤省治さんだろう。工藤さんは、青森県出身。一九五七年、ご自身のアート活動の一環で、陶磁器に可能性を見出し、砥部・梅山窯を訪れた。そこで、四代目の梅野武之助率いる、同世代の澤田惇と岩橋節夫と出会い、切磋琢磨し、民藝の指導者たちの元、世界に誇る窯元に築き上げていった。そもそも焼物出身の彼らと違って、工藤さんは、デザイン的視点が鋭かった。ペルシャ陶器から着想を得た「唐草文様」や、古砥部の破片から発想した「菊文様」などは、今でも残る彼の代表作。目にする動物や昆虫、野花などを丹念にスケッチし、それを抽象化し模様にしていったという。制作は、ロクロ・鋳込み・布目・釉薬・絵付け・窯といった、分業制。特に絵付けに関しては、地域の主婦の仕事でもあった。求められるデザインは、個人作家が作る独りよがりの一点物ではなく、窯で働く仲間が作れるものでなければならなかったという。よそ者としての敬意が常に行動に表れ、砥部のために技術を惜しまず伝えた工藤さん。二〇一二年には、「砥部焼陶芸塾」の講師代表となり、若者の指導にもあたった。砥部に人生を捧げ、〝砥部焼〟という財産を後世に残した重要人物。（神藤秀人）

Shunjugama
Shoji Kudo

1. The key person who created the foundation for the current Tobe ware (Japanese porcelain) designs.
2. He spent a large part of his life working in Baizangama Pottery and guarded the livelihood of Tobe Town.
3. He opened a ceramics research studio, Shunjugama in 1974.

In the early Showa era, the declining Tobe ware was revived by a visit by the founder of the Japanese folk craft movement, who applauded the handmade porcelain found in the production region including Baizangama Pottery. The artisan who created extraordinary designs and contributed most to the progress of Tobe ware during that time was Shoji Kudo, an Aomori native. In 1957, he visited Baizangama in Tobe. It was there he met Takenosuke Umeno, the 4th-generation owner. He worked hard together to build a world-class pottery under the leadership of folk craft. Unlike the rest who had grounding in pottery, Kudo had an astute perception of design. His masterpieces include the arabesque pattern inspired by Persian pottery and chrysanthemum scrollwork inspired by fragments of early Tobe ware. In 2012, Kudo became the lecturer of the "Tobe Ware Pottery School". (Hideto Shindo)

Photo : 愛媛新聞社提供

工藤省治　1934年青森県出身。1957年砥部町へ転居し、絵画の世界から「梅野精陶所（梅山窯）」に入所。土地の植物や動物をモチーフにスケッチを起こし、砥部焼の代名詞ともいえる「唐草文様」などを生み出した。自身の「春秋窯」で生涯砥部焼の可能性を追求。

Shoji Kudo　He moved to Tobe-cho in 1957 and switched from painting to pottery upon joining the Baizangama. Kudo's sketches based on local plants and animals were used to create Tobe ware's trademark scroll patterns and other common design elements.

編集部が行く

編集部日記

神藤秀人

Editorial Diary: Editorial Team on the Go

By Hideto Shindo

伊予国こと愛媛県は、「中予」「東予」「南予」と大きく三つのエリアに分かれる。松山市を中心とする伊予市や砥部町などを中予。四国中央市や新居浜市、西条市、今治市などを東予。大洲市や内子町、八幡浜市、宇和島市などを南予。中予は文人、東予は商才、南予は陽気、とそれぞれのエリアで、人間性が異なると聞いてはいたが、確かに愛媛県は、当初、つかみどころの無いようにも感じた。東に行けば行くほど香川県に似てきて、南に行けば行くほど高知県にも近しい。そんな〝愛媛らしさ〟とは一体何か？　約二か月間にわたる旅を少しずつご紹介。

1 中予エリア

愛媛県一の市街地、松山の大街道商店街を南へ向かう。〝新しい公共〟の場、「THE 3rd FLOOR」は、松山の中心地にある。ライブやトークなど、さまざまなイベントを開催したりもするが、なんといってもオーナーの松波雄大さんの活動が面白い。二〇一四年には『道後オンセナート』をスタートさせ、松山城を使ったマーケット企画など、精力的に松山の魅力をつくってきている。二〇一八年には自ら市議会議員になり、内面から松山を変えていこうという考えがある。「松山は暇なんですよ」と揶揄する彼は今、松山で最も忙しい人だ。

市駅（伊予鉄の松山市駅のことで、JR松山駅もあるため地元の人はそう呼ぶ）から東へ伸びる銀天街商店街の筋道に、鍋焼きうどんの名店が二軒ある。「アサヒ」と「ことり」。好みは分かれるが、僕は「アサヒ」派。というのも、宇和島市出身の版画家・畦地梅太郎（故）の最後の大作『石鎚山』を眺めながら食べるのがいい。共に甘めの味つけで、後で知ったことだが、この〝甘さ〟こそが愛媛県に伝わる文化「お接待」の名残だそうだ。レトロなアルミ鍋に味わい深い店内は、いつも地元客や観光客で賑わっていた。

朝は、喫茶店「万利茂」で珈琲タイム。ジャズが流れる〝コの字〟カウンターの空間が心地よく何度か通った。地元の人にも愛される純喫茶だ。夜は決まって「サントリーバー露口」。一三席しかないカウンターはすぐに埋まってしまうので、夕食は早めに切り上げて行くべき。不動の定番は〝昭和のハイボール〟。

「ロープウェー街」は、その名の通り、松山城へと繋がるロープウェイの発着駅がある商店街。中でも、お薦めの店を一挙ご紹介。まずは、

Ehime Prefecture, once known as Iyo Province, is roughly divided into three regions: Chuyo, Toyo, and Nanyo. Chuyo is centered on Matsuyama and includes Tobe. Toyo includes Shikokuchuo, Niihama, Saijo, and Imabari. And Nanyo includes Ozu, Uchiko, and Uwajima.

1. Chuyo Area

I began by heading south along the Okaido, Matsuyama's biggest shopping street. At the heart of the district is THE 3rd FLOOR, a new public space that hosts a variety of events, from live music to talk sessions. What's really fascinating, though, is what its owner, Yudai Matsunami, is doing for the city. In 2014, he launched "Dogo OnsenArt," an energetic campaign to boost Matsuyama's appeal through art, as well as other fun projects like a market in Matsuyama Castle.

Another major shopping street, Gintengai, is home to two renowned nabeyaki-udon restaurants, Asahi and Kotori. Locals are divided on which is better. I'd go with Asahi, if only because you can eat while gazing at "Mt. Ishizuchi", the final masterpiece of the late printmaker and Uwajima (→p. 075)

石本藤雄氏プロデュースのギャラリー＆茶房「ムスタキビ」。城の石垣を眺めながら新宮茶を。飲み比べが楽しい柑橘ジュース専門店「10FACTORY」。みかんビールなんてものもある。砥部焼や内子和蠟燭など、愛媛を中心とした工芸ギャラリー「ROSA」。丁寧に一品一品教えてくれる。今治タオルを筆頭に、愛媛を代表するセレクトショップ「伊織」。肌寒い時には「みやざきタオル」のタオルマフラーを。

松山の高台に君臨する「松山城」の観光。国の重要文化財の中に、当時の歴史を知ることができる資料が展示され、天守閣に上るに連れ、部屋の工夫や仕掛けが面白く、城・歴史好きにはたまらないだろう。松山城の本丸から二之丸へと坂道を下っていくと、「愛媛県美術館」がある。先に出た、ファッションブランド「マリメッコ」の元デザイナーの砥部町出身の石本藤雄氏や、石鎚山をはじめ日本中の山を登った三間町出身の版画家・畦地梅太郎（故）など、愛媛県ならではの作品を所蔵。まちの中心に美術館があると、身近なところでその関連のコミュニティーが生まれる。松山の文化度が高いのもそのためだろう。木子七郎の大正建築「萬翠荘」や「愛媛県庁舎」、安藤忠雄建築「坂の上の雲ミュージアム」なども合わせてどうぞ。

松山の街中を走る伊予鉄の市内線の中に、夏目漱石の小説にゆかりある「坊っちゃん列車」を見かける。また、伊予鉄のグループ本社ビルの一階には、いつもデスクワークでお世話になったスターバックス。店の奥には、「坊っちゃん列車ミュージアム」が併設していて、実物大の車両のレプリカやパネル展示に紛れて、お茶ができる。ただし、残念ながら銘菓「坊っちゃん団子」は置いていない。それと、ビルの屋上には列車のピクトグラムが描かれていて、いよてつ髙島屋の観覧車「くるりん」に乗ると見えるという仕掛けもユニーク。ユニークといえば、書店「本の轍」も近く。

正岡子規や高浜虚子などの俳人を生んだ松山は、「俳都」とも呼ばれる。ちなみにテレビ番組でも人気の俳人・夏井いつきさんも愛媛県出身。道後にある「子規記念博物館」は、銅板葺きの屋根の重厚な建物。松山の歴史や文化、そして正岡子規の生い立ちを知ることができる。

言わずと知れた「道後温泉本館」は、二〇一九年からの保存修理工事に伴い、一部閉鎖中だった。普通ならば全館営業休止とするところも、全国から訪れる観光客のために、『道後 REBORN

featuring Ehime originals like Tobe porcelain and Uchiko candles. Finally, there's Iori, an iconic select shop whose signature product is Imabari towels.

Presiding over the city from its highest spot is Matsuyama Castle. Inside the well-preserved structure are exhibits showcasing its storied history. As you climb up the castle tower, you'll be fascinated by the intricacies of its rooms. Downhill from the main keep, past the Ninomaru Historical Site, is the Ehime Museum of Art. While you're at it, be sure to check out Shichiro Kigo's early 20th-century Bansuiso and the Ehime Prefectural Office, as well as the modernistic Saka no Ue no Kumo Museum by Tadao Ando.

Chugging along on the Iyotetsu, the urban railway that crisscrosses Matsuyama, is the Botchan Train, named after Soseki Natsume's famous novel. And on the first floor of the Iyotetsu Group's main office, sharing space with a Starbucks I frequented on desk work days, is the Botchan Train Museum, where you can enjoy a cup of tea nestled among panel exhibits and life-size replicas of train cars.

Boasting such haiku poets as Shiki Masaoka and (→p. 077)

プロジェクト』を実施。国の重要文化財にもかかわらず、斬新かつ柔軟な取り組み。「神の湯」のみの利用だったが、心から温まることができた。余談だが、なぜ、「道後」という地名がついたのか不思議に思った。道後があるなら道前もあるのではないか？　大化の改新後、今治辺りに伊予国の国府が置かれ、そこから都に近いところが「道前」、遠いところが「道後」で、ちょうど道後温泉あたりが道後だったそうだ。

旅館とゲストハウスの融合宿「どうごや」は、温泉ありドミトリー室ありのB&B。もちろん個室での利用も可能だが、アートが飾られる斬新な和室のドミトリーも快適。ご主人の清水久嗣さんの活動も興味深く、館内の大広間を使ったドラムデュオ「cowbells」のライブにはたくさんの人が集まり、激しいドラム音に宿泊客も何が起こったのかと呆然とするほど(笑)。カレー店「KARMA」の出張カレーなど、アートや音楽、食、落語、禅……さまざまに道後を盛り上げている。

港町・三津浜。「三津浜焼き」というお好み焼きで有名なこの地区では、国の登録有形文化財の建物を利用した「鯛や」をはじめ、Iターン者や地元の若者が、趣ある建物をリノベーションし開業している。三津駅から西へ三津浜商店街を歩くと、米店を改築したギャラリー「みつう

native Umetaro Azechi.

During my stay in Matsuyama, I paid several visits to Marimo, a simple café with a smart U-shaped counter. Open at 8:00 am, it's a favorite among locals, offering a pleasant space with jazz music playing all day.

As its name suggests, Ropeway Street is a shopping street located at the boarding station for the ropeway up to Matsuyama Castle. It's a must-see for tourists, but there are a few places in particular I'd recommend. First is 10FACTORY, a citrus juice shop with several varieties to sample from. Then there's ROSA, a crafts gallery

ルサの女
2
丹十三監督作品
マルサの女

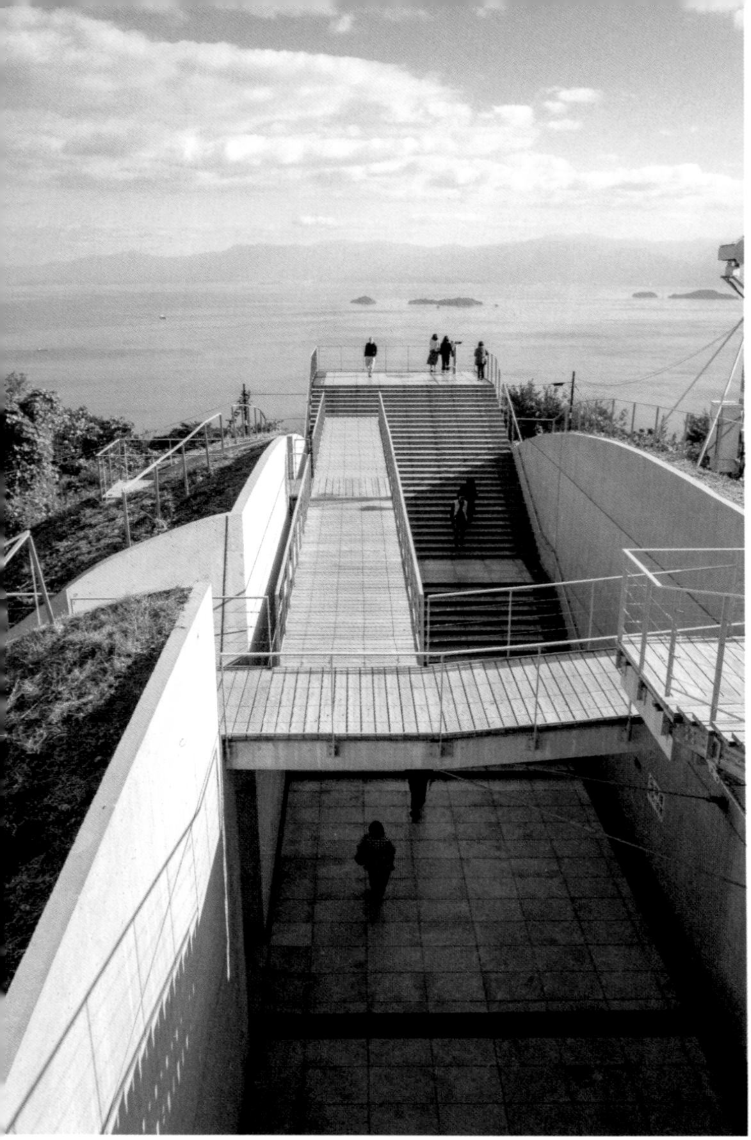

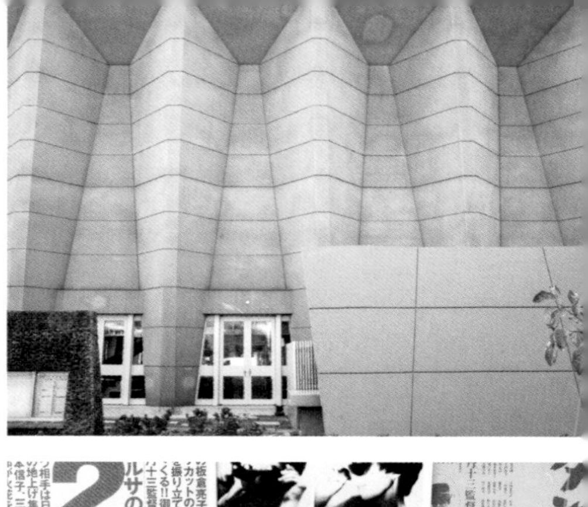

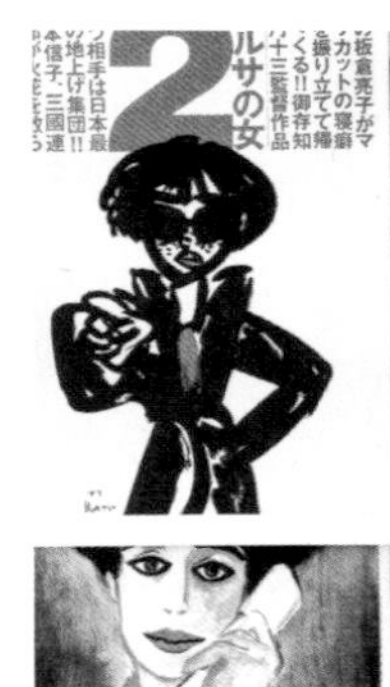

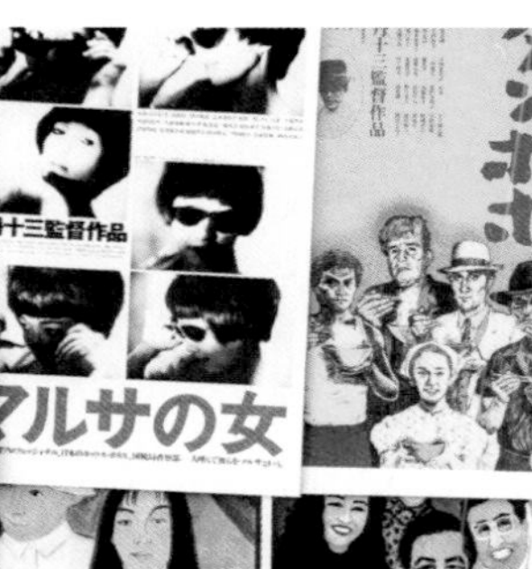

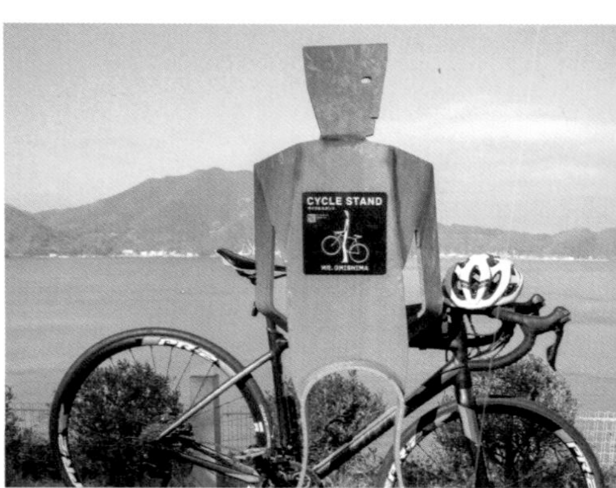

CYCLE STAND

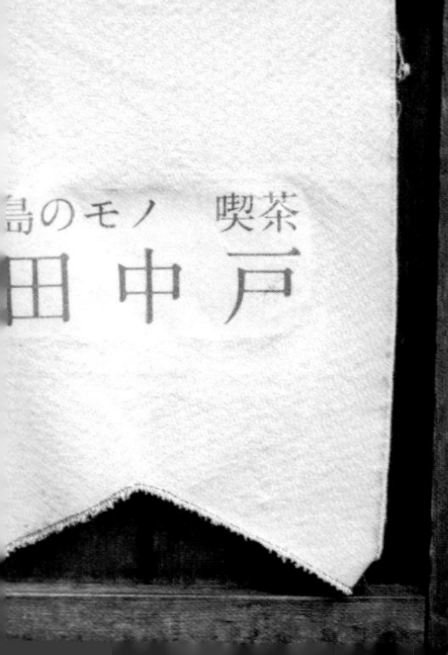

島のモノ　喫茶
田中戸

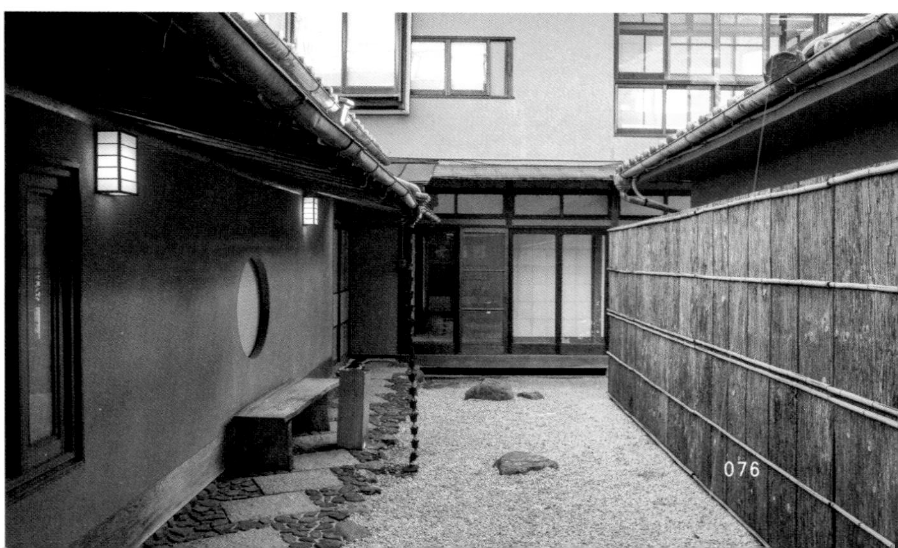

つわ」、南にはいくつかのテナントが入る「旧濱田医院」、そして、毎月住吉公園で開催する『ワニナルバザール』の主宰・田中章友さんの「島のモノ 喫茶 田中戸」。忽那諸島の怒和島出身で、実家はみかん農家。みかんの時期には生搾りのみかんジュースを出してくれたり、夏には行列覚悟のかき氷(柑橘味あり)。そして、久万高原のリンゴを使ったケーキもお薦め。町のことは田中さんにお話を伺うのがいい。

建築家の中村好文氏が設計した「伊丹十三記念館」へ行く。映画監督、デザイナー、エッセイスト、俳優と多彩に活躍した伊丹十三。『マルサの女』や『タンポポ』などの映画は、全国的にも有名だが、愛媛県民に言わせれば何よりも先に銘菓「一六タルト」が挙がる。正確には一六タルトのCMに登場し、そのインパクトがとても強かったという。言葉遣いやイラストの表現方法など、編集者として僕も大いに学びたい。

2 編集長が自転車で行く しまなみ海道 〜愛媛・今治編〜

今治は言わずと知れたタオル産地。「今治タオル」ブランドで一躍有名になった今治だが、そのタオルの話は特集(p.100)でご紹介するとして、ここでは「しまなみ海道サイクリングロード」に着目してみる。一九九九年に開通した自転車専用道路。緩やかなスロープで橋にもアクセスしやすく、道の左側に引かれた青い線(ブルーライン)を進めば迷わず目的地に行ける。世界中のサイクリストの聖地ともいわれ、瀬戸内の島々を堪能できるデザイン観光だ。僕は、今治駅前の「ジャイアントストア今治」でロードバイクをレンタルし、愛媛県の最北の島・大三島を目指した。

まずは、朝から営業している「かねと食堂」で腹ごしらえをし、丹下健三建築を横目に市内を走る。父親の故郷でもあった今治で幼少期を過ごした縁もあり、数多くの丹下建築が今も残る。「今治市庁舎」「公会堂」「市民会館」「愛媛信用金庫」など、時間があれば覗いてみてほしい。

全長約四キロにも及ぶ来島海峡大橋の一本道を進み、大島の「亀老山展望公園」へ。しまなみ海道では、橋から島へ上陸する際、専用道路を下るのだが、その坂道を駆け抜ける爽快感が、何とも言えないほどに清々しい。しかし、島内は予想以上にアップダウンの激しい坂道が待っているので、素人は覚悟の上、自転車旅を選ん

Kyoshi Takahama among its native sons, Matsuyama is known as the "capital of haiku." The Shiki Museum in Dogo, a stately building with a copper-tiled roof, is a great place to learn about the history and culture of Matsuyama as well as the life of Shiki Masaoka himself.

Dogo Onsen is the city's most famous attraction, but part of the main building was closed for renovation starting in 2019. Although you might expect the whole place to be shut down, instead the facility is staging "Dogo REBORN," an innovative and flexible initiative that uses projection mapping and wrapping of whole buildings to recreate this officially designated Important Cultural Property for tourists from all over Japan.

Dogoya, an onsen B&B, is a fusion of traditional inn and guesthouse. It offers private rooms, of course, but the innovative Japanese-style dormitory with its artistic decoration is quite comfortable as well.

On to the port town of Mitsuhama, famous for its okonomiyaki. It features a number of quaint old buildings renovated into businesses by young entrepreneurs from (→p. 079)

でほしい。亀老山展望公園へは、正直車の方が楽だが、ぜひ登頂をお薦めする。展望台の設計は、新国立競技場の隈研吾氏。山の景観に融け込むように地中に埋め込まれたデザインで、西には来島海峡大橋の架かる瀬戸内海、南には今治市街、天気がよければ石鎚連峰まで望める。

大島には、亀老山以外にもカレイ山と念仏山、それぞれ展望台があるので、体力に自信がある人は登ってみるのもいいだろう。大島石の採石場で有名なカレイ山には「遠見茶屋」がある。瀬戸の潮流が眺められる絶景カフェ。大島石を使ったインテリアでお茶ができ、この地で勢力を持った海賊「村上水軍」の城跡(能島)も俯瞰。

伯方島に渡ると、造船業が盛ん。また、テレビCM「は・か・た・の・塩」のフレーズでお馴染みの「伯方塩業」の製造工場も、もとは伯方島にあった。現在は、隣の大三島へ移転し見学もできる。伯方塩業の歴史的な業績は、連載コーナー『社史より』(p.090)にてご紹介。ということで、いよいよ最終目的地・大三島へ入る。

大三島で最初に向かったのが「リモーネ」だ。レモン(柑橘)農家が営む、リモンチェッロのショップ。チェッロに負けじと絶品なのが、リモンチェッロを使ったアイスもなかやレモネー

to go. The road is a mecca for cyclists from around the world, and it's perfect for a design tour through the islands of Setouchi. I rented a road bike at Giant Store Imabari, near Imabari Station, and set off for Omishima, Ehime's northernmost island.

After a hearty breakfast at Kaneto Shokudo, I pedal off through the city. The route is lined with a number of buildings designed by Kenzo Tange, whose father hailed from Imabari and who spent part of his childhood here. The Imabari City Hall, City Auditorium, Civic Hall, and Ehime Trust Bank are all his creations; check them out if you have time.

I head for Kirosan Lookout Park on the island of Oshima. The hills here are steeper than you'd expect, so novice cyclists may want to think twice before venturing out. Frankly, it's easier to reach the park by car, but those who make the climb to the top will be rewarded. The lookout was designed by Kengo Kuma, also known for the New National Stadium.

I cross over to Hakatajima, a center of shipbuilding. The Hakata Salt, made famous by Japanese TV (→p. 081)

ド。小休憩にちょうどいい。

大三島は、「大山祇神社」があり〝神の島〟としても知られているが、しまなみ海道が開通してからは、フェリーよりも、車や自転車の来島が多くなり、港から神社までの賑わっていた参道は閑散としてしまっているという。交通の便がよくなり島外からのアクセスはよくなっても、島の商いや暮らしに大きな影響を与えてしまったことは事実。そうしたことも視野に入れデザインすることが、これからの観光には必要だろう。そんな中、移住者や若者たちの活躍が見られる。「大三島ブリュワリー」の高橋享平さんは松山出身。大阪の箕面ビールで醸造の仕事をしていたが、独立を志し、妻の尚子さんと大三島へ。柑橘などの地元の素材を利用したビールをつくろうと参道近くにブリュワリーを開設。大三島の甘夏の皮を加えた「ホワイトエール」は、自転車で汗をかいた体を潤してくれた。

すぐ近くには、カフェ＆ワインバル「大三島みんなの家」がある。元法務局を改築した建物で、「参道の街並みを残したい」という思いで、島の高校生や地域住民、そして建築家・伊東豊雄氏が塾長を務める「伊東建築塾」のメンバーによって二〇一三年にスタートした参道保存プロジェクトだ。島民有志による『大三島参道マーケット』や『ふれあいサロン』など、さまざまなイベントをしながら参道を守ってきた。最近では、「大三島 憩の家」の旧宗方小学校の敷地内に、「大三島みんなのワイナリー」の醸造場を建設。みかんの耕作放棄地だった場所で葡萄栽培を始め、二〇一八年には初の大三島産のワインが完成。五年後、一〇年後が楽しみだ。

大三島で活動してきた伊東氏の建築思想や、大三島での試みを広く伝えるための「今治市伊東豊雄建築ミュージアム」。旧宗方小学校に併設された彫刻家・岩田健（故）の作品を展示する「今治市岩田健母と子のミュージアム」。みかん畑の斜面に建てられ、その斜面を下りながら鑑賞していく現代美術館「ところミュージアム大三島」。三つの個性的なミュージアムも、大三島に訪れた際には、ぜひ寄りたい。「しまなみ海道」の旅は、広島・尾道編へと続く。

3 東予エリア

比較的雨の少ない地域ということもあり、無事に今治へ自転車を返却。一九六五年にオープンした喫茶店「アポニー」で一息入れる。二代目

Ehime and elsewhere; one—housing the restaurant Taiya—is an officially designated Tangible Cultural Property. Walking west from Mitsu Station along the Mitsuhama Shopping Street, you'll find Mitsu Utsuwa, a gallery in a repurposed rice store. Further south is the old Hamada Clinic, now home to a variety of tenants, and Tanakado, a local café run by Akitomo Tanaka, who also presides over the Waninaru Bazaar held each month in Sumiyoshi Park. Tanaka comes from a family of mandarin orange growers, and when they're in season, you can get a drink of fresh-squeezed mandarin orange juice.

On to the Juzo Itami Memorial, designed by architect Yoshifumi Nakamura and dedicated to the multi-talented film director, designer, essayist, and actor.

2. Biking with the Editor-in-Chief: Shimanami Kaido-Ehime-Imabari Edition

Time for a jaunt along the Shimanami Kaido Cycling Road, opened in 1999. This bicycle path allows easy access to the Kaido's bridges via gentle slopes. Just follow the blue line on the left side of the road and it will take you where you want

の店主は、地元では〝アポ兄さん〟として親しまれていて、親切に窓側の席を勧めてくれた。

窓からは「今治ホホホ座」が見える。京都にある書店「ホホホ座」からの暖簾分けならぬ、〝名前分け〟。メンバーで、今治中心市街地の空き店舗を借り、音楽ライブ、写真展、ワークショップ等を開催していて、二〇一九年には「コンテックスタオルガーデン今治」で中山うり氏のライブツアー『タオルに包まれ眠りたいのだ』を開催。主宰の豊島吾一さんは、ご実家の鮮魚店を改築し、雑貨店「うお駒」も営み、シャッター商店街の中でも異彩を放っていた。どこか少しずつ、店から商店街の再生が広がっていくような気配さえ感じた。不登校や障がいのある子どもに向けた学校も運営するなど、さまざまなネットワークを独自に開拓し、今治を盛り上げている。二〇一三年から毎年秋に開催している、大人も子どもも楽しめる音楽フェスティバル『ハズミズム』は、県外からも客が集うほど人気のイベントにもなっている。

西条市の旧陣屋跡の堀に囲まれた土蔵造りの「愛媛民藝館」は、「砥部焼」や「伊予絣」の展示が多く、何度か足を運んだ。マーケット企画の展示や映画上映会などを定期的に開催してい

Ken Iwata Mother and Child Museum, located on the grounds of the Omishima Ikoi no Ie, features works by the late sculptor Ken Iwata. And the Tokoro Museum Omishima, built on the slope of a mandarin orange orchard, allows visitors to view modern art as they stroll down the hill.

3. Toyo Area

Thankful for the relatively dry climate, I make it back to Imabari, return the bike, and take a break in Apony, a coffee shop opened in 1965.

The café's window offers a view of Imabari HOHOHOZA, a venue for live music, photo exhibitions, and workshops. HOHOHOZA's manager Goichi Toyoshima also runs Uokoma, a variety store whose façade—a remnant of his family's fish shop—stands out among the street's otherwise nondescript storefronts.

The Ehime Folk Museum in Saijo, an earthen structure surrounded by the moat of an old jinya, features numerous examples of Tobe porcelain and Iyo fabric. It holds periodic film screenings and market planning exhibitions, (→p. 083)

て、ショップとしての魅力もある。もはや、公民館のようなコミュニティーにも思える。

新居浜市の南方。かつて銅鉱で栄えた別子(べっし)銅山には、病院や郵便局、役場、商店、料亭、酒造所、旅館、劇場までが谷を挟んで建ち並び、鉄道も敷かれていたという。「別子銅山記念館」は、別子銅山の意義を伝え残すために、一九七五年に開館。鉱山坑内を彷彿(ほうふつ)させる薄暗い館内は、独特の半地下構造になっていて、日本最初の山岳鉱山専用鉄道の蒸気機関車も、敷地内に保存展示されている。

四国中央市は、エリエールやユニ・チャームなど紙製品出荷額日本一の〝紙のまち〟。通称「エリエールタワー」と呼ばれる大王製紙の巨大煙突をはじめ、至る所に立つ煙突からモクモクと煙があがる街並みは、どこか別世界だった。ディアンドデパートメントのオリジナルリングノートやファイルも、ここ四国中央市の「片岡紙工」の工場で作られている。主にOEM製品を手がける工場が多い中、片岡紙工はオリジナルブランド「LACONIC」を立ち上げ、覚悟の上で独自のデザインの道を選んだ。決して右上がりではない都市産業。エコやリユースといったロングライフ製品が好まれる時代、紙製

commercials, were once located here. It's now been relocated to neighboring Omishima and is open to visitors.

My first stop on Omishima is Limone, a limoncello shop run by a local lemon grower. Equally delectable as the limoncello, though, are the lemon ice cream cakes and lemonade, perfect for a little break.

Kyohei Takahashi, proprietor of the Omishima Brewery, grew up in Matsuyama. He was inspired to open the brewery by a desire to make beer using local ingredients like citrus fruits. After a sweaty bike ride, I slaked my thirst with a white ale made with Omishima amanatsu peel.

Nearby is Omishima Minna no Ie, a café and wine bar housed in a refurbished government office building. It's part of a project started in 2013 by high school students, local residents, and members of the Toyoo Ito-led Ito School of Architecture to preserve the architecture of the old shrine road.

Omishima is home to three unique museums that are well worth a visit. There's the Toyoo Ito Museum of Architecture, established to showcase Ito's philosophy and his many architectural endeavors on the island to the wider public. The

品はいつか別な素材のものに替わってしまうかもしれない。それでも僕は、紙の持つ独特の風合いが好きだし、紙の可能性を模索する活動は応援したい。移動型収納ボックス「NOWHERE」は、軽くて丈夫でガシガシ使え、旅の資料を、書類、立体ともに持ち運ぶのに便利。

4 南予エリア

松山から砥部町（特集p. 112）を抜け、内子町へ。山間小盆地に広がる、国の重要伝統的建造物群保存地区。約六〇〇メートルの間に、漆喰塗りの白壁やなまこ壁の建物が連なっている。山間部ということもあり、朝晩は少し冷えて、霧の出る日もあったが、それがまた美しい佇まいを見せていた。そんな内子にある芝居小屋「内子座」。一九一六年に大正天皇の即位を祝い創建され、一度は老朽化で取り壊されそうになったが、地元住民の熱意もあって、一九八五年に修繕。そして立川志の輔師匠だけでなくタレントの南原清隆（ウッチャンナンチャン）さんの落語から、女優の満島ひかりさんの朗読会まで多岐にわたり、二〇二〇年には初の愛媛国際映画祭の会場としても選ばれ、県外からも多くの人が訪れている。

内子に行くと、いつも古民家ゲストハウス＆バー「内子晴れ」に寄った。宿泊者以外でも、ランチやカフェ利用が可能。ご主人の山内大輔さんは、地域おこし協力隊のIターン者で、任期終了後、「合同会社アソビ社」を立ち上げ、二〇一七年に築一七〇年の古民家を改築して宿をつくった。今では内子界隈でのコミュニティースペースにもなっていて、これからは愛媛県全域にその範囲を広げていきたいと語る。

宿なら「内子の宿」もお薦め。古民家一棟貸しが「織」と「久」。土蔵の「くら」と、昼はカフェになる「こころ」。それぞれ朝食のみの提供だが、じゃこ天や丸ずしなど、郷土料理が楽しめ、静かな夜と清々しい朝を味わえる。

町内から北西に車を走らせると「石畳」という地域がある。もともとは「たたみ石」と呼ばれる青い石が取れたことに因んでつけられた石畳地区。一九九四年、町おこしの一環で、柿や栗の収穫物置き場になっていた古民家を移築・改築し、農家民宿「石畳の宿」が完成。設計は吉田桂二。何よりも、農家民宿の先駆けとも言える宿が、今も長く愛され続けているということに驚く。年間一〇〇〇人以上が利用し、名物の「摘み

original LACONIC brand.

4. Nanyo Area

In the town of Uchiko is the Uchikoza playhouse, built in 1916. The aging building was once slated for demolition, but local residents were passionately opposed and it was renovated in 1985 instead. Uchikoza offers entertainment ranging from traditional storytelling to poetry readings. In 2020 it was chosen to host Ehime's first international film festival, bringing visitors from both within and outside of the prefecture.

Each time I visited Uchiko, I stopped at Uchikobare, a guest house and bar in an old townhouse. The restaurant and café are open to non-guests as well.

The Inns of Uchiko are another good choice for lodging. The only meal served is breakfast, but it consists of delicious local dishes like jakoten and maruzushi, making for a refreshing start to the day after a peaceful night's sleep.

A short trip by car northwest of town is the Ishidatami region. In 1994, as part of a town renewal project, an old house formerly used to store persimmons and chestnuts was relocated and refurbished into the Ishidatami no Yado, a traditional inn designed by Keiji Yoshida.

Hiroyuki Saito, proprietor of Ikazaki Shachu, has (→p. 085)

草の天ぷら」には、ヨモギや菜の花、サザンカ、そしてゆずの皮。これは、農家の女性たちがアイデアを出し合って生み出された、いわば〝お接待料理〟。もともと茶道の炭作りに使われていたクヌギの木で栽培された原木椎茸は、愛媛の伝統調味料「みがらし」でいただく。水車を使って精米されたご飯（朝食）まで、丁寧なおもてなしの時間だった。

小田川の清流を利用した「流し漉き」と呼ばれる大洲和紙（五十崎和紙）は、かつて書道用の半紙や障子紙として重宝されたという。しかし、その後衰退。四〇〇人もいた職人も、わずか二人まで減少。「五十崎社中」の齋藤宏之さんは、妻の晶子さんの実家（千代の亀酒造）のある内子町にIターン。そこで、地元の老舗製紙所「天神産紙」と手を組み、和紙のことをゼロから学び、唯一無二の和紙を生み出した。ただ伝統産業を復活させるだけではなく、和紙の新たな魅力を伝えることが必要だったという。金属箔で模様を描くヨーロッパの伝統技法を取り入れた『ギルディング和紙』。こよりにした和紙を木枠に編み込んでから漉く濃淡が美しい『こより和紙』。彼の作品は、世界中からも評価され、道後温泉別館「飛鳥乃湯泉」などのインテリアにも使われている。

実は四国でも、愛媛県は日本酒の酒蔵が最も

and also has a charming museum shop.

The Besshi Copper Mine Memorial Museum opened in 1975 to preserve the legacy of the eponymous mine. With its unique semi-underground construction, the museum's dim interior is reminiscent of a mine shaft.

Shikokuchuo is Japan's number one "Paper Town," home to companies like Elleair and Unicharm. D&DEPARTMENT's original ring notebooks and binders are produced here at the Kataoka Shiko plant. While most plants focus on OEM products, Kataoka Shiko chose to take a risk and pursue its own unique design, launching the

ニュー
シャネル

田力
田力米

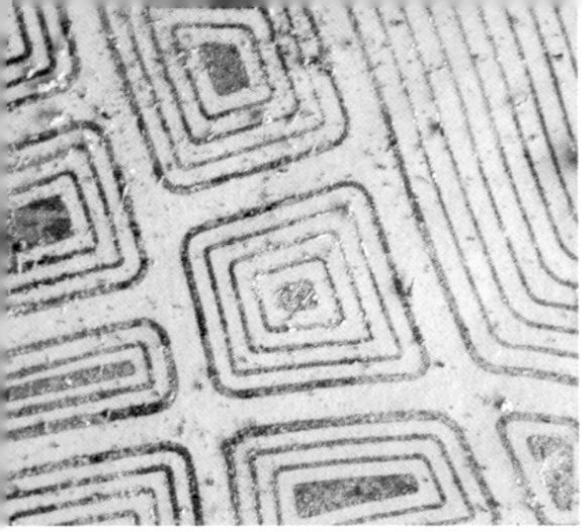

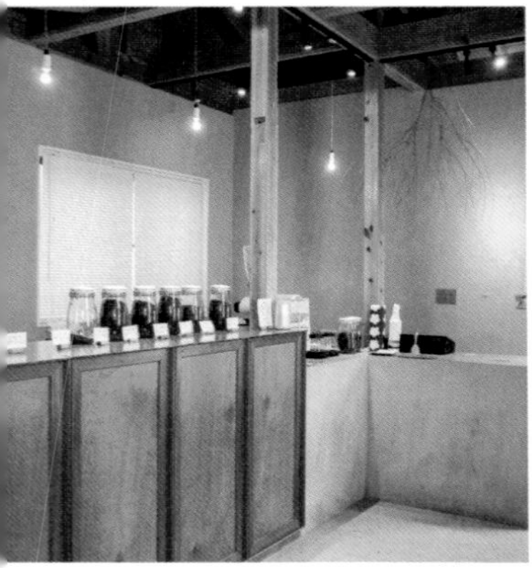

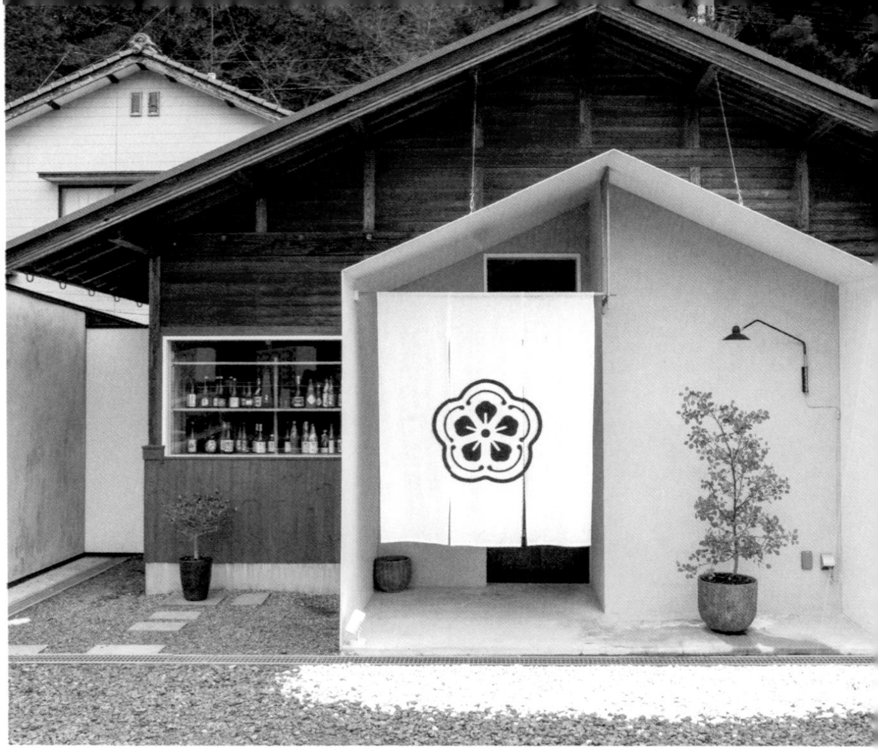

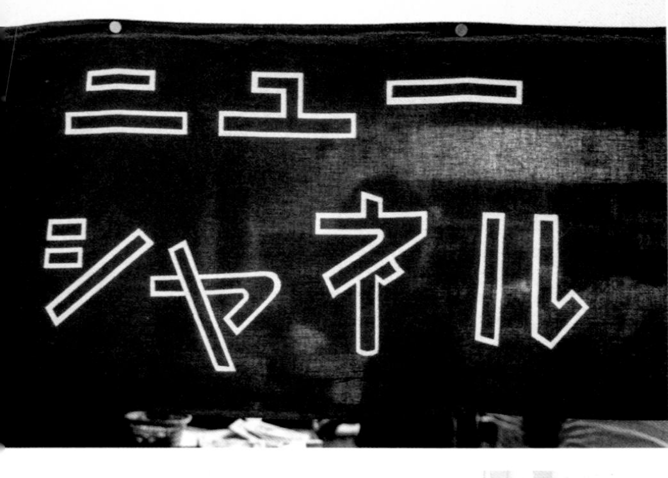

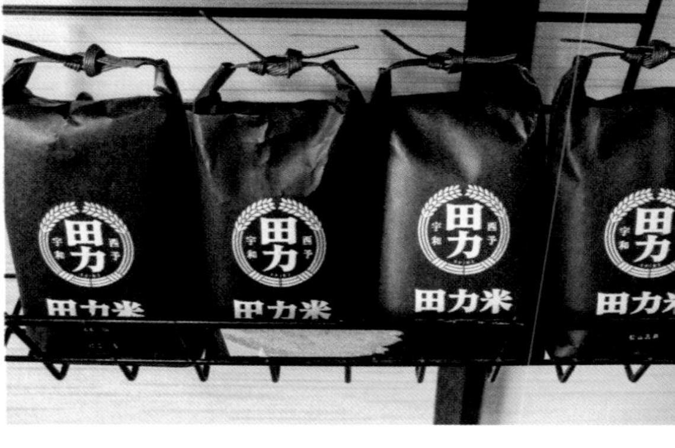

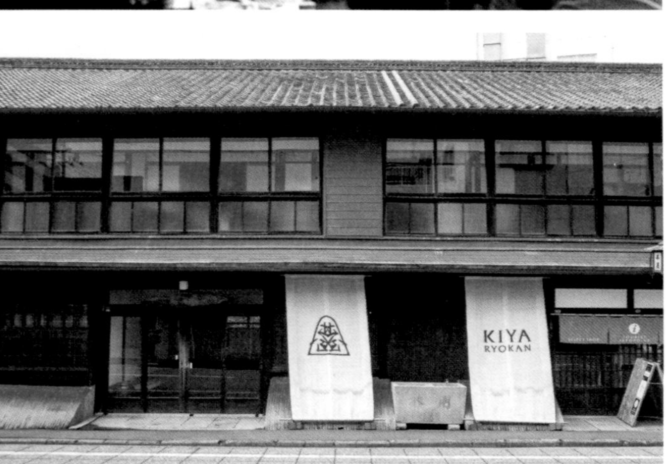

KIYA
RYOKAN

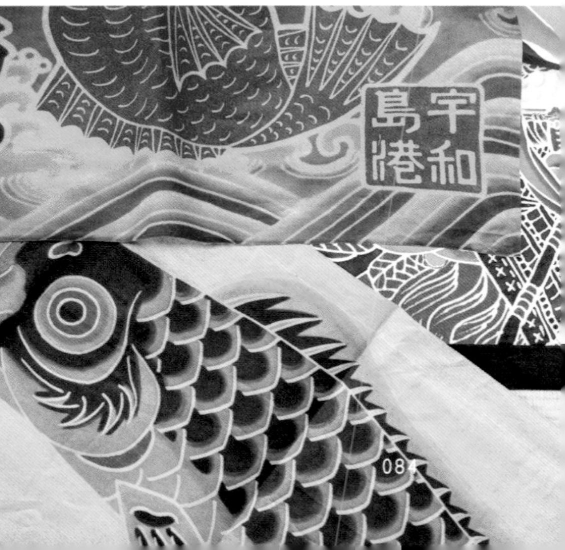

宇和
島港

多い。五〇蔵近くある地酒でも、「酒乃さわだ」で買いたい。肱川に面した景色のいい場所に店はある。カフェのような店舗デザインで、店内にも珈琲豆がずらり(?)。実は、珈琲焙煎所の「カトラッチャ」が併設していて珈琲豆も購入できる。もちろん、地酒も揃っているので、店長の澤田典康さんお薦めのものを。

西予市は、知る人ぞ知る古くからの米どころ。「宇和米博物館」は、宇和町小学校の旧校舎を、「わらぐろ」など、この地方の米づくりのことがわかる資料室や、シェアオフィスとして利用している。また、敷地内には、お米の食べ比べができるカフェも併設。

宇和米といえば、二〇一九年に『ひめの凜』が全国コンクールで金賞を取り、人気急上昇中。「田力本願」の中野聡さんたち四人の米農家は、〝愛媛らしい米づくり〟を考え、みかんジュースの搾りかすを田んぼの肥料に使用し、新しい米ブランド「田力米」をつくった。炊きたてがべらぼうに美味しい『松山三井』や、冷めても安定した旨みの『にこまる』など、いくつかの品種があり、パッケージデザインは、高知県西土佐在住のデザイナー・迫田司さん。高知県の〝地域デザイン〟の波は、愛媛にも広がっている。

僕が初めて宇和島に行った時、いわゆるシャッター商店街や寂れた個人店、スナック、バー、そして廃墟ビルや遊園地、神社……路地裏を歩いても、そうした風景は、どこかで「美しいもの」と捉え、経年美化やロングライフデザインといったキーワードが町中に溢れている気がした。それは、アーティスト大竹伸朗氏の存在が大きい、と僕は思う。香川県の直島の『直島銭湯「I♥湯」』や『はいしゃ』でもお馴染みの宇和島が世界に誇るアーティスト。大竹氏のご親戚にもあたる「黒田旗幟店」の黒田勉さんによると、廃業した店の看板などを自分のアート作品に使ったり、名作『ニューシャネル』のTシャツも、実際に宇和島に存在した店の名前だという。そして、二〇一八年に宇和島市を襲った西日本豪雨。柑橘農家をはじめ、鯛や真珠の養殖業、街じゅうが被害にあった。大竹氏はその復興支援を目的として『宇和島チャリT』を制作。旧宇和島市役所の庁舎と宇和島城が描かれたTシャツは、利益分が宇和島市に義援金として寄付されるという。彼にしかできない取り組みだった。その後、二〇一九年には複合施設「パフィオうわじま」のホールの緞帳のデザインにも起用されるなど、今でこそ宇和島に欠かせ

partnered with venerable local papermaker Tenjin Sanshi to create washi (traditional Japanese paper) like no other. Rather than simply reviving the traditional craft of washi, he felt the need to bring new allure to the ancient art. Among his products are "gilding washi," which borrows a traditional European technique to create patterns in metal leaf on the paper, and "koyori washi," a rich, beautiful paper created by weaving strips of washi onto a wooden frame to dry.

Ehime actually boasts more sake breweries—nearly 50—than anyplace else in Shikoku. My top pick would be Sawada Liquor Shop, which offers a lovely view over the Hiji River.

The city of Seiyo has long been known among connoisseurs for its rice. Speaking of rice, Tariki Hongan—a joint venture between Satoru Nakano and three of his fellow rice farmers—has created a new brand called "Tariki Rice," which is produced using a uniquely Ehime method: the fields are fertilized with dejuiced mandarin orange husks.

Uwajima is also home to world-renowned artist Shinro Otake. Today, he's one of the city's most important figures, and in 2019 he was hired to design the curtain for the main hall of the multi-purpose facility Pafio Uwajima. The Kiya Ryokan sells a variety of Shinro Otake

(→p. 086)

ないキーマンだと僕は思う。「木屋旅館」には、そんな大竹伸朗グッズや、漁師町で大漁旗を染め続けてきた黒田旗幟店の商品が揃っている。

南予の沿岸にある急斜面を利用した段々畑。戦後、この地は半農半漁（冬は農業、夏は漁業）の自給的生活から、みかんの経済栽培へと移ったという。地域の若手後継者でみかんの有機栽培を目指して始まった「無茶々園」。今では地域協同組合として、農産物や海産物、加工品や真珠なども広く販売。数年前からは福祉事業も展開し、新規就農者を受け入れる仕組みをつくり、雇用を生んだ。この奇跡のような園地の物語は、別途特集（p.124）で、ご紹介。

主に宇和島の柑橘農家の有志たちが活動する「柑橘ソムリエ愛媛」という面白い団体がある。柑橘の食べ比べだけでなく、デザインあるジュースの展開、さらに二〇二〇年春には、柑橘ソムリエライセンス制度もつくるという。少量生産多品種の愛媛県ならではの柑橘を全国に発信したいという思いの上だ。みかんの木で楽器を作って音楽ライブをしたり、なんとも愉快。訊けば、皮をむく音で、柑橘の品種がわかるとか……（笑）そんな彼らのジュースは、三間町の老舗酒屋「KOUJIYA」でも買える。KOUJIYAは、築一二〇年の建物を改築し、お酒にまつわるライフスタイルや、プレゼントのコーディネイトをしていて、愛媛のブランド米「三間米」をポップにデザインした『MIMARICE』など、老舗酒屋なのに、デザイン酒屋という楽しい店。

愛媛県は、鯛の養殖が盛んで、郷土料理の筆頭にも「鯛めし」が挙がる。また、リアス式海岸の宇和島は、その静かな海が真珠の養殖にも適しているという。さらに、宇和島では〝真珠貝〟とも呼ばれる真珠の母貝「アコヤ貝」の養殖も盛んだが、真珠づくりに不適格サイズのアコヤ貝は、一般的に廃棄されてきた歴史がある。そんな〝副産物〟を、美味しく食べさせてくれる食事処があると聞き、向かった先が「いかだ屋」だ。海に浮かぶような店づくりは、実は「アコヤ貝」の養殖業が本職という理由。今では、真珠の取れる冬だけの珍味として人気のアコヤ貝。新しい食文化を作っている。

愛媛県は、海と山の暮らしが近くにあり、全てのエリアに共通して言えるのが、それぞれが「観光」にすることなく、「ものづくり」で暮らしてこられたこと。製紙、造船、銅鉱、農業、養殖……そうした揺るぎない暮らしが、今の〝愛媛県らしさ〟に繋がっているのだろう。

merchandise alongside products from Kuroda Hatanobori, a longtime purveyor of colorful banners for fishermen.

The steep slopes of Nanyo's coastline are etched with terraced fields. This area is home to Muchachaen, a local cooperative that began with just three organic mandarin orange growers. Today, it sells a wide range of farm and fishery products as well as pearls and other goods. Several years ago, it ventured into social welfare, creating new jobs by establishing a system for recruiting new farmers.

Another interesting local group is Citrus Sommelier Ehime, comprising citrus growers and other volunteers. They not only offer citrus tastings, but also designer juices, and in 2020 they plan to introduce a sommelier licensing system. They hope to introduce the rest of Japan to the way Ehime oes citrus: small-scale growers and lots of variety. They even give live music performances with instruments made of mandarin orange wood—sounds like fun! You can buy their juice at local liquor shop KOUJIYA, in Mimacho. KOUJIYA, which occupies a renovated 120-year old building, is delightfully design-savvy for such a venerable establishment. It offers beverage-centered lifestyle services, gift coordination, and MIMARICE, a pop-designed brand of Ehime rice.

CSA
CITRUS SOMMELIER ASSOCIATION

CITRUS
SOMMELIER
ASSOCIATION

SUNSET
&
COFFEE
EHIME
SETOUCHI
JAPAN

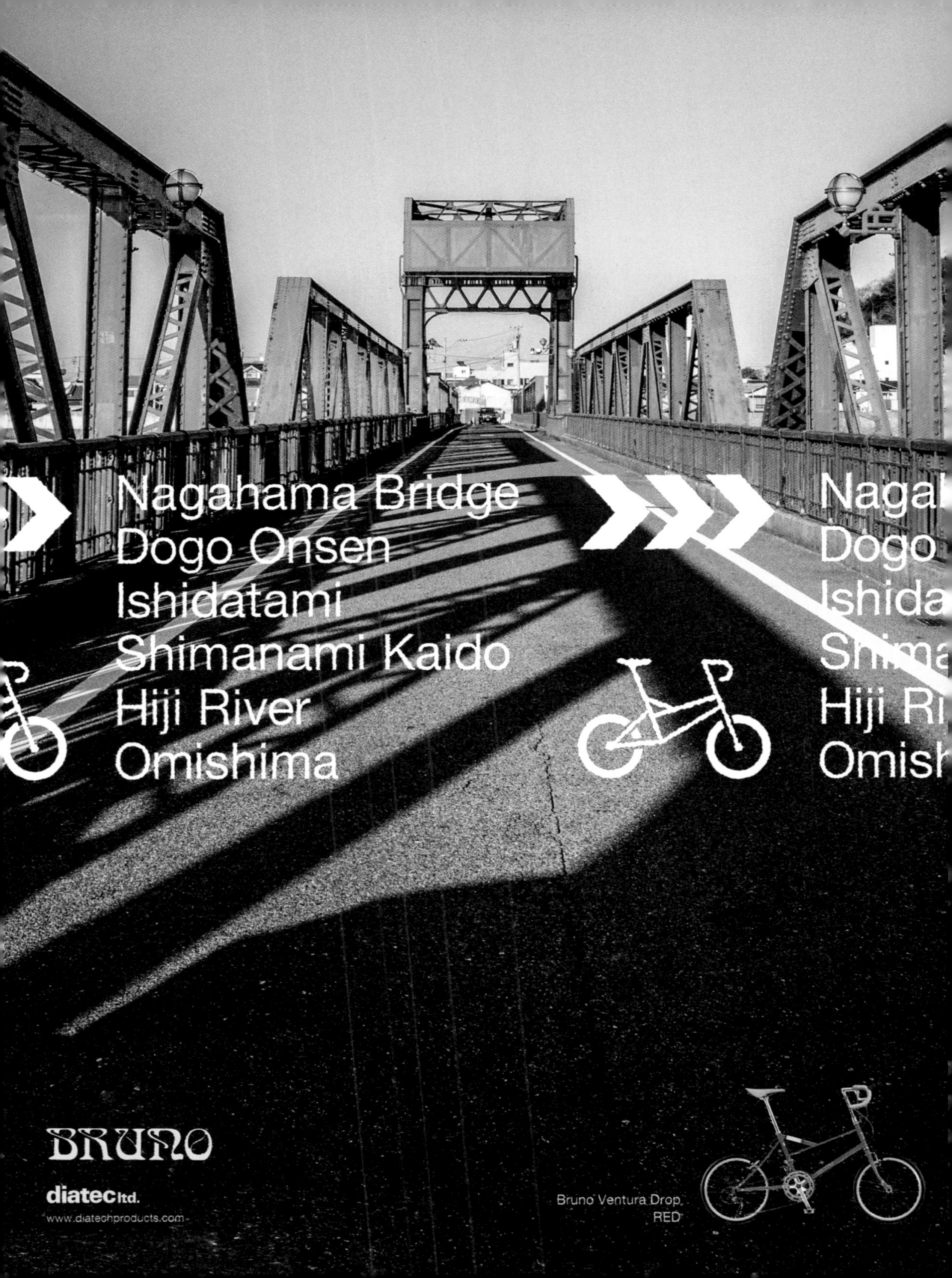
Nagahama Bridge
Dogo Onsen
Ishidatami
Shimanami Kaido
Hiji River
Omishima
BRUNO
diatec ltd.
www.diatechproducts.com
Bruno Ventura Drop
RED

伯方塩業株式会社

愛媛県のみんなが知っている日本の会社の社史より

Corporate History of a Famous Japanese Company in EHIME

Hakata Salt Co., Ltd.

伯方塩業株式会社　越智郡伯方町発祥の塩の製造・販売メーカー。一度聞いたら忘れられないテレビCMで知られる「伯方の塩」は、1987年より日本大相撲東京場所の土俵用塩に採用される。2010年には塩田製塩の技術継承のため「流下式枝条架併用塩田」を再現した。

Hakata Salt Co., Ltd.　A salt manufacturer founded in Hakata Town, Ochi County. Since 1987, Hakata Salt has been used for sumo wrestling ground in Tokyo. The company recreated a salt drying field using wooden beams on racks in 2010 to pass on the traditional technique of producing salt.

日本人が長年食べつづけた塩田自然塩が、一九七一年塩業近代化臨時措置法の成立で全面的に廃止になった。かわって、イオン交換膜法によるナトリウム偏重の化学精製塩が全国に出回ることになった。

農耕的な塩田製塩にとってかわった、世界ではじめてのイオン交換膜法による工場製塩の内容品質に疑問をもち、食塩は毎日毎食摂るもの、国家百年の大計からみて、日本人の健康に影響を与えないか、などを考えた愛媛県松山市在住の菅本フジ子氏らのグループは、塩業近代化臨時措置法で廃止になった塩田自然塩の存続運動に、日本で最初に起ちあがった。

紆余曲折はあったが、専売公社から〝再生塩〟をつくってもよい——との口約束を得たので、伯方塩業株式会社を設立した。

一九七三年六月六日付で、伯方塩業株式会社に対し〝伯方の塩〟の製造委託が専売公社からあった。(四塩業第三四号)。これを拠りどころに地元の愛媛県経済農業協同組合連合会その他の支援をうけ、さらに、塩田を残していきたいという署名運動参加者五万人の人々、消費者団体を軸として〝伯方の塩〟購入希望者を全国に募っていった。

良塩をもって社会に貢献しようという社是の示すとおり、創業初期の伯方塩業株式会社は、着実に一歩一歩その地歩を固めていった。

自然塩〝伯方の塩〟は、消費者運動そのものである。

*『伯方塩業社史〝伯方の塩〟二五年のあゆみ』(一九九七年発行)より抜粋

The method of deriving natural sea salt from salt evaporation ponds was prohibited in 1971 in Japan; only salt produced by the ion-exchange membrane method was allowed. However, Sugamoto from Matsuyama questioned the quality of this salt and its effects on health. Her group was the first in Japan to launch the movement to preserve the production of natural sea salt from salt evaporation ponds.

After many ups and downs, the Salt Monopoly Corporation finally gave the verbal okay for the production of 'regenerated salt', which led to the establishment of Hakata Salt Co., Ltd.

On June 6, 1973, we were commissioned by the Salt Monopoly Corporation to produce "Hakata Salt". We thus received local support and 50,000 people signed a petition to preserve the salt evaporation ponds. Consumer groups also recruited people who wanted to buy Hakata Salt across the country.

Hakata Salt Co., Ltd. slowly and steadily gained a foothold in the industry in those early days of establishment.

Our Hakata Salt, is the very embodiment of consumer movement.

愛媛県の〝民藝〟

コミュニティー

高木崇雄（工藝風向）

Mingei (Arts and Crafts) of EHIME

Community

By Takao Takaki (Foucault)

高木 崇雄　「工藝風向」店主。高知生まれ、福岡育ち。京都大学経済学部卒業。2004年に「工藝風向」設立。柳宗悦と民藝運動を対象として近代工藝史を研究し、九州大学大学院芸術工学府博士課程修了。福岡民藝協会事務局。日本民藝協会常任理事。新潮社「青花の会」編集委員。

Takao Takaki　Owner of "Foucault". Born in Kochi and raised in Fukuoka. Graduated from Faculty of Economics, Kyoto University. Established "Foucault" in 2004. Conducted research on history of modern technical art with Muneyoshi Yanagi and folk art movement as the subjects. Completed the PhD program in Graduate School of Design, Kyushu University. Secretariat of Fukuoka Mingei Kyokai. The permanent director of Japan Mingei Kyokai. Editorial board member of Shinchosha "Seika no Kai."

Photo：柳宗悦 砥部 梅野窯にて 1953年頃 日本民藝館提供

愛媛県の〝民藝〟として取り上げたいことは、二つある。一つには、砥部焼。丈夫で安価な白磁の産地として知られている砥部焼は、一八世紀から続く産地だけれど、やはり大きく花開いたのは、戦後からと言っていいだろう。その背景には、今や砥部焼を代表する模様「唐草文」を生み出した名工・工藤省治や、工藤が独立以前に働いていた「梅山窯」、そして、一九五三年に阿部祐工が立ち上げた「祐工社」の存在がある。特に祐工社は、当時三〇歳にもならない若き陶工・阿部祐工の求めに応じて、柳宗悦やその書生・鈴木繁男、バーナード・リーチや濱田庄司、富本憲吉や藤本能道といった錚々たる人々が集まった、砥部における民藝運動の始まりとして記憶されるべき窯だ。祐工社は、より多くの人に、美しく、丈夫で用いやすい器を渡すため、型を用いる作業は機械で行ない、絵付けは職人が行なう、といった手法でさまざまな絵柄を生み出していた。この試みはいささか早過ぎたのか、七年ほどで祐工社の活動は終わってしまったけれど、祐工社が築いたスタイルや手法、そして職人たちは同じ志を持つ梅山窯に引き継がれ、今も砥部は豊かな産地であり続けている。

もう一つは、能楽。柳宗悦は、能楽について「あらゆる舞踊のうち恐らく最も工藝的なものである」[*1]と讃えているが、愛媛は能楽の盛んな地域として、まず真っ先に数えられるだろう。かつて松山藩が所有していた能楽に関わる道具類は、明治維新以後、地元の東雲神社に奉納され、一時は途絶えてしまう可能性すらあった。そんな状況において、能楽を守り育てた人が、池内信嘉だ。俳人・高浜虚子の実兄でもある池内は、東雲神社での演能を維持再興し、能楽の囃子方として初の人間国宝となった川崎九淵を若くから支援する。また、地元愛媛にとどまらず、上京して雑誌『能楽』を発刊。さらには能楽の研究について全国的な組織化を行ない、東京音楽学校（現在の東京藝術大学）に能楽囃子科を設置、自身も同校教授となった。そんな池内の周りには多くの人々がいた。例えば、俳句において「客観写生」という新たな理念を立ち上げた、実弟・高浜虚子と、虚子の同級生である河東碧梧桐。さらには、虚子・碧梧桐二人の師であり、日本近代文学にとって重要な役割を果たした正岡子規と、子規の友人であり、虚子の紹介で能楽の稽古をしていたこともある夏目漱石。『吾輩は猫であ

I want to look at two mingei from Ehime. The first is Tobe ware, from the Tobe region known since the 18th century for its durable, affordable white porcelain. This area truly prospered after World War II thanks to workshops such as Kudo Shoji, Baizangama Pottery and Yukosha—the last of which was founded in 1953 by Yuko Abe.

Yukosha in particular, started by Abe before he reached the age of 30, attracted prominent figures including Muneyoshi Yanagi. Yukosha was a pioneering force in Tobe's *mingei* movement, carrying out production using machinery and molds in order to provide beautiful, durable products to as many people as possible. Although these efforts were ahead of their time and Yukosha would stop production seven years later, the style and methods pioneered were carried on by Baizangama and helped make Tobe a prosperous production region to this day.

The second Ehime *mingei* I want to introduce is Noh theatre. This art was once in danger of disappearing entirely, but one important figure helped keep it alive: Nobuyoshi Ikenouchi. The older brother of haiku poet Kyoshi (→p. 095)

No matter the era, there are small numbers of "hot topics" as well as small groups of people who accomplish great things.4

Nobody can accomplish things alone. When people who share the same interest in solving a problem come together and exchange ideas, they create a new voice for the next generation. The magazines Shirakaba ("White Birch") founded with Naoya Shiga and the *mingei* fostered together with Shoji Hamada, Kanjiro Kawai and others, all from Soetsu Yanagi's community, constantly contributed to new arts and crafts movements.

1. "Kogeiteki Narumono" Yanagi Muneyoshi Zenshu Hakkan (Complete Muneyoshi Yanagi Collection Vol.8) , p. 464.
2. Graham, Paul. Hackers & Painters: Big Ideas from the Computer Age. Translation supervised by Shiro Kawai. Ohmsha, p. 148.
3. Ibid. p. 149.
4. Ibid. p. 149.

る』も『坊っちゃん』も海南新聞（現在の愛媛新聞）社員・柳原極堂が立ち上げた文芸誌『ホトトギス』に連載された。愛媛は能や文芸を育てる揺籃の地だったのだ。

いずれにせよ、砥部焼であれ能楽であれ、両者に共通するのは、お互いの存在に刺激を受けながら創作を行なう人々が集う「コミュニティー」の存在だ。かつて、米国のプログラマー、ポール・グレアムは、「良いデザインは集団で生起する」[*2]と書き、次のように述べている。

レオナルドがレオナルドになるには、生まれながらの能力以上の何かが必要なのだ。1450年のフィレンツェが必要なのだ。関連した問題を解こうとしている才能ある人々のコミュニティほどパワフルなものはない。[*3]

どんな時代にも、少数のホットなトピックがあり、それに向けて多くの仕事をなす少数の集団がいる。[*4]

一人で何かを成し遂げることのできる人などいない。問題意識を抱えた人々が集い、意見を交わす中から、次の時代を担う新たな表現は生まれる。虚子は五七五のリズムを重視する自身と、自由律に向かう碧梧桐との関係について「たとふれば独楽のはぢける如くなり」と詠んでいるが、それは決して彼らの仲が険悪だったことを意味するものではない。むしろ、新たな「日本のうた」を作り出すライバルとして、切磋琢磨したその激しさを表しているのだ。もちろん、柳宗悦だってそうだった。志賀直哉たちと立ち上げた『白樺』、そして濱田庄司や河井寛次郎たちと立ち上げた『民藝』、常に柳はコミュニティーの中から、文芸や工藝という分野で新たなムーブメントを起こし続けてきたのだ。

だからこそ僕らもまた、自らを省みないとならないはずだ。「日本民藝協会」や「D&DEPARTMENT」といったコミュニティーだって、柳やナガオカケンメイといった先人・先駆者が用意してくれたモノや考えを唯々諾々と守るためだけに存在するのではつまらない。僕らもまた、彼ら以上の熱量で、コミュニティーを再創造し続けよう、と。

＊1『工藝的なるもの』柳宗悦全集第八巻（筑摩書房）p.464
＊2 Paul Graham 著、川合史朗 監訳『ハッカーと画家』（オーム社）p.148
＊3＊4 前掲書 p.149

Takahama, Ikenouchi helped to support and revitalize Noh performances at Shinonome Shrine and even supported instrumentalist Kyuen Kawasaki from a young age. He was friends with Masaoka Shiki, a giant of modern Japanese literature and teacher of Ikenouchi's younger brother Kyoshi as well as poet and writer Hekigoto Kawahigashi, and knew legendary writer Natsume Soseki who was a friend of Masaoka and began studying Noh after an introduction by Kyoshi.

In both Tobe ware and Noh theatre, their proponents were influenced by, and in turn influenced, the communities in which they lived. As well-known programmer Paul Graham once wrote, good design comes from groups.2 According to Graham,

Leonardo [da Vinci] required more than innate talent to become the man that he did. What he needed was Florence in 1450's. There is nothing more powerful than a community of talented people coming together to solve interrelated problems.3

SHIROSHITA
no
MACHIBITO
ART & CRAFT & FOOD
城下の MACHIBITO まちびと
OZU EHIME, JAPAN
歴史情緒あふれる
まちなみとアート&
クラフト&フードの出会い

愛媛県の街にあるフライヤー

週末 西条トリップ

その土地の個性を真剣に広く伝えようと、ローカルから発信されるフライヤーやパンフレットたち。広告満載の大都市圏の雑誌とは違う、キリッとした編集やメッセージを、それらから感じ取って、その土地を旅しましょう。愛媛県からは、西日本最高峰・石鎚山（いしづちさん）の麓、国内随一の美味（おい）しい水が湧き出る西条市の『週末 西条トリップ』をご紹介します。松山市からの日帰りコースなど親切な情報満載。

＼週末／
西条トリップ

愛媛県は道後・松山から車で約1時間。
西条市（さいじょうし）は海と平野と山が揃った風光明媚なまちです。
また、日本一美味しい水が湧き出る"水の都"でもあります。
美味しい水のあるところには、絶品グルメもある！
自然に囲まれた西条市へ、美味しい旅をしてみませんか。

発行：愛媛県西条市

発行元	西条市役所 シティプロモーション推進課	ディレクション	西条市役所 日野 藍
発行日	初版 2015年8月	編集・デザイン	株式会社エス・ピー・シー 佐伯 里奈
価格	無料	お問い合わせ	西条市役所(0897-56-5151)
配付場所	西条市役所、西条市観光交流センター、 愛媛県内外の観光・宿泊施設やショップなど	ウェブサイト	www.city.saijo.ehime.jp

Fliers Found in Cities in EHIME

Weekend Saijo Trip

Locally produced fliers and pamphlets aim to earnestly convey the uniqueness of the area. Unlike advertisement-filled large cities' magazines, they feature crisp editing and messages as you travel through a place. From Ehime, we've selected "Weekend Saijo Trip," a pamphlet of Saijo City which is located at the foot of Mt. Ishizuchi, the highest peak in West Japan. The pamphlet is filled with useful information including suggested itineraries for day trips from Matsuyama City.

Publisher: City Promotion & Development Section, Saijo City Office
Publication Date: Inaugural issue August 2015
Art Direction: Ai Hino, Saijo City Office
Editorial production & design: Rina Saeki, SPC. Co., Ltd.
Contact: Saijo City Office (0897-56-5151)
Website: www.city.saijo.ehime.jp

愛媛のうまい！

編集部が取材抜きでも食べに行く店

何でもあるのに何にもない、と揶揄される愛媛県だが、"何でもある"は本当だった。加えて「お接待文化」で想像を絶する甘〜い味つけに困惑したけれど、それももはや、やみつきに。郷土料理からB級グルメまで、編集部お薦めの、美味しい一一品をご紹介。

Favorite Dishes From EHIME

With their "hospitality culture", I felt rather bewildered initially at the level of sweetness in their dishes, but the sweet seasoning became quite addictive eventually. I recommend 11 delectable dishes from everyday food to local specialties which I arrived at after making many rounds around town.

鍋焼玉子うどん
Nabeyaki egg udon

松山入りの初日、甘〜いいりこ出汁に愛媛の洗礼を受けました。小さなアルミ鍋が物語る庶民の味。(前田) 650円

アサヒ 愛媛県松山市湊町3-10-11 ☎089-921-6470
10:00–16:00(売り切れ次第終了) 水曜休、第2・4火曜休
Asahi Minatomachi 3-10-11, Matsuyama, Ehime
10:00–16:00(shop closes when udon is sold out) Closed on Wednesdays, 2nd & 4th Tuesdays

内子豚のグリルソーセージ
Grilled Uchiko pork sausage

歴史情緒ある町並みの古民家で、まさかのドイツ料理！？シェアせず、一本食べたかった(笑)ほどに絶品。(神藤) 760円

ツム・シュバルツェン・カイラー 愛媛県喜多郡内子町城廻204-1 ☎0893-57-9066
月〜土 17:00–21:30(L.O. 20:30) 日 11:30–14:30(L.O. 14:00)、17:00–21:30(L.O. 20:30)
水曜休(祝日の場合は営業) peraichi.com/landing_pages/view/keiler2013
Zum schwarzen Keiler Shiromawari 204-1, Uchiko-cho, Kita-gun, Ehime Mon–Sat 17:00–21:30(L.O. 20:30) Sun 11:30–14:30(L.O. 14:00) & 17:00–21:30(L.O. 20:30) Closed on Wednesdays(open if a holiday falls on Wednesday)

オムライス
Omelet rice

自家製の緑の皿に映える黄色のザ・オムライス。中華そばも不動の人気です。(神藤) 780円

かねと食堂 愛媛県今治市室屋町1-2-16 ☎0898-22-1997
8:00–15:00(土・日曜、祝日は19:00まで) 火・水曜休
Kaneto Shokudo Muroya-cho 1-2-16, Imabari, Ehime
8:00–15:00(open until 19:00 on Saturdays, Sundays and holidays)
Closed on Tuesdays and Wednesdays

島のみかんのジュース・えひめなのにりんごのケーキ
Island mikan juice & apple cake

夏のかき氷、冬の生搾りみかんジュース、何を頼んでも美味しいけど、愛媛県では、意外なりんごのスイーツをぜひ。(神藤) 各450円

島のモノ 喫茶 田中戸 愛媛県松山市住吉2-8-1 ☎090-6280-3750 11:00–夕暮れ 水曜休 Shimano-mono Kissa Tanakado Sumiyoshi 2-8-1, Matsuyama, Ehime
11:00–evening Closed on Wednesdays

かつおさしみ定食
Bonito sashimi set meal

これで1000円は安い。高知よりうまい「びやびやかつお」は、春頃に出るのでLINEでチェック！(神藤) 1,000円

市場食堂 愛媛県南宇和郡愛南町鯆越166-4(漁協敷地内) ☎0895-73-2556 7:00–17:00 土曜休(漁協の営業に準ずる) Ichiba Shokudo Irukagoe 166-4, Ainan-cho, Minamiuwa-gun, Ehime (within premises of fishermen's cooperative) 7:00–17:00 Closed on Saturdays (according to business hours of fishermen's cooperative)

6 FAVORITE ホワイトエール
White ale

大阪箕面ビールでの経験を生かして、大三島の柑橘を使ったビールをつくる。黒ビールも絶品。(相馬) 1パイント 950円

大三島ブリュワリー 愛媛県今治市大三島町宮浦5589 0897-72-9248 12:00–20:00 火・水曜休 Omishima Brewery Miyaura 5589, Omishima-cho, Imabari, Ehime 12:00–20:00 Closed on Tuesdays & Wednesdays

7 FAVORITE うどん
Udon

家なのか店なのか、暖簾すらない……働く親父たちがこよなく愛す、宇和島の朝の味。勇気を持って扉を開けよう。(相馬) 380円

やまこうどん 愛媛県宇和島市錦町1-7 0895-22-2315 5:00–9:00、日曜、祝日休 Yamako Udon Nishikimachi 1-7, Uwajima, Ehime 5:00–9:00 Closed on Sundays & holidays

8 FAVORITE ミックス定食
Mixed set meal

甘い味つけの料理が多い愛媛県。焼き肉だって、かねてから甘い甘いと聞いていましたが、想像以上に美味しくて驚きました！(神藤) 800円

日の出ホルモン 愛媛県伊予郡砥部町高尾田21 089-948-8211 11:00–22:00(L.O. 21:30) 水曜休 Hinode Horumon Takoda 21, Tobe-cho, Iyo-gun, Ehime 11:00–22:00(L.O. 21:30) Closed on Wednesdays

9 FAVORITE 焼きそば 肉卵入
Yakisoba with meat and egg

100年以上の歴史があるB級グルメ「三津浜焼き」。港もほど近い、気さくなお母さん家の台所で食べます。(神藤) 550円

とんとん 愛媛県松山市元町8-22 089-953-1870 11:00–15:00(L.O. 14:30) 毎月5日、15日、25日休、臨時休業あり Tonton Motomachi 8-22, Matsuyama, Ehime 11:00–15:00(L.O. 14:30) Closed on 5th, 15th and 25th of every month, may have temporary closures

10 FAVORITE 皮焼
Kawayaki

一見地味な見た目の名物だけど、ついつい摘んでしまい、ビールが進む進む。今治の夜の癒しです。(神藤) 297円

鳥林 愛媛県今治市南大門町1-6-17 0898-32-1262 17:00–22:00 日曜休 Toribayashi Minami-daimon-cho 1-6-17, Imabari, Ehime 17:00–22:00 Closed on Sundays

11 FAVORITE 新宮茶 とうみつ抹茶ラテ
Shingu tea and molasses matcha latte

ランチやバーも営むゲストハウスで、泊まらなくても、いつもひと休憩した。苦くて甘くて美味しいラテ。(神藤) 600円

古民家ゲストハウス&バー 内子晴れ 愛媛県喜多郡内子町内子3025 0893-57-6330 13:00–22:00(L.O. 21:30) 火曜休 Guesthouse & Bar Uchikobare Uchiko 3025, Uchiko-cho, Kita-gun, Ehime 13:00–22:00(L.O. 21:30) Closed on Tuesdays

愛媛県のブランド

〝今治タオル〟とは何か？

神藤秀人（しんどうひでと）

Brands of EHIME

What are Imabari Towels?

By Hideto Shindo

あなたにとっての、タオルとは

長年、旅を続けている中で、僕はあることに気づいた。それは、普段何気なく使っている「タオル」の存在。旅先で泊まるホテルや旅館にあるタオルが、こんなにも宿泊施設の評価に大きく関わってくるとは、思ってもいなかった。よくよく考えたら、夜シャワーを浴びて、朝は顔を洗う。温泉や大浴場のある宿ならば、二度や三度、もっと入る人もいるだろうし、その都度タオルを使う。肌が敏感な人や、小さい子どものいる家族にとっては、なおさらタオルの選択は重要である。今一度、我が家のタオル事情を見直すとともに、「今治タオル」とは、そもそも何か？　といった、タオル産地・今治について、勉強してみよう。

「今治タオル」

今でこそ言わずと知れた「今治タオル」。しかし、僕がそうであったように、多くの人が、「今治タオル」は、一つのタオルメーカーだと思っているのではないだろうか。その根底にあるのが、ブランドマーク。職人などの情熱を表す「赤」と、品質や安全性の「青」、そして、優しさや清潔感など、タオルに込められた想いを「白」としているそうで、僕には、瀬戸内海から昇る明るい太陽を彷彿（ほうふつ）とさせる。ブランドタグ＝「安心」「安全」「高品質」――と、誰もが思うだろう。それこそが、「今治タオル」のブランディングだ。ある一定の品質基準をクリアしたタオルが、たとえ製造するタオルメーカーが別でも、「今治タオル」として認定され、ブランドマークを冠するという仕組み。つまり、「今治タオル」は、産地を活性化するために結成された「今治タオル工業組合」のブランド名称であり、もし、あなたの手元に「今治タオル」のブランドタグがついているタオルがあるとするならば、それは、今治に拠点を置く、どこかのタオルメーカーのもの、ということになる。さて、ここまでで、ひとつ疑問が解けたところで、タオルそのものの歴史を学ぶため、組合の本拠地「今治タオル本店」を訪ねてみる。

今治と、タオル

同組合の前身「四国タオル工業組合」の創設よりもだいぶ昔、明治時代に遡（さかのぼ）る。一八八六年、

Imabari Towel
Imabari Towel is a name that needs no telling. However, like me, most people probably think that Imabari Towel simply refers to one particular towel manufacturer. The reason for that lies in the brand mark. The red represents the passion of craftsmen, blue quality and safety, and white the cleanliness and gentleness. But to me, the brand mark is like a symbol of the bright sun rising over the Seto Inland Sea. The branding system works in such a way that towels that satisfy a certain standard are recognized as Imabari Towels and carry the brand mark even if the manufacturers are different.

Imabari and towels
In 1886, production of cotton flannel which was used in flannel shirts started in Imabari as cotton could be grown there. Towels were later introduced from Osaka, and woven products underwent a change from flannel to towel together with the times. In conventional towel production centers, the towels are dyed with one color after they are woven. But in Imabari, the threads are dyed first before weaving, (→p. 103)

imabari
mufflers
& shawls
imabari muffler
imabari shawl
imabari shampoo towel
imabari handkerchief
imabari towel
LAB
For any situation
KONTEX
ATHLETIC
Long size WAFFLE
36×105cm

綿花が取れた今治では、ネルシャツに見られる「綿ネル」の製造が始まった。そして、大阪からタオルが伝わり、時代とともにネルからタオルへと織るものが変わってきたという。通常のタオル産地は、タオルを織った後、一色に染める〝製品染め加工〟が主。しかし、今治は材料である糸の段階で染める〝先染め加工〟を行ない、複雑な模様を可能にもしている。そのため、世界中のさまざまな有名ブランドのOEM産地としても重宝されてきた。蒼社川の清らかな軟水に恵まれ、晒しや染めや洗いといったタオル作りにとって適した今治。造船業も盛んで、卓越した排水処理技術をもって、世界一厳しいとされる瀬戸内海の排水基準をクリアし、環境にも考慮したものづくりが行なわれている。

今治には四国八十八ヶ所の霊場のうち、六つの札所がある。四国ではお遍路さんに〝お接待〟をする文化が根づいていて、今治ではお接待として、タオルを差し出すのも珍しくないという。汗をかくお遍路さんには、毎日ガシガシ使って洗える「みやざきタオル」のタオルマフラーが嬉しいだろう。さらに最近では、地元のサッカークラブ「FC今治」の活躍も目覚ましく、「IKEUCHI ORGANIC」のモニターになるなど、地域とともに商品開発も進んでいる。僕も大好きな埼玉県のクラフトビール「コエドビール」でタオル生地を染めてしまうユニークな「渡辺パイル織物」。世界のサイクリストの聖地しまなみ海道には、多くの観光客も訪れ、僕自身「コンテックス」のアウトドア用のタオルを購入し、汗だくになりながら島々を巡った。県内の宿泊施設の中には、「今治タオル」の〝利きタオル〟が体験できるなど、気持ちのいいタオルが使えることの素晴らしさを、だんだんと実感していった。

産地を賭けた、ブランディング

一九七六年頃には、五〇〇社が加盟し、タオルの生産量も日本一だった今治タオル産地。しかしその後、組合加盟企業の数は減り、生産量も右下がりだった。このまま衰退の一途をたどるのは目に見えていて、助成金を使って幾度も活性化を試みたが、そう簡単にはいかなかった。二〇〇六年、JAPANブランド育成支援事業を活用し、「今治タオル」のブランド化に取り組んだ。アートディレクションを佐藤可士和氏に依頼。産地の未来を賭けた大勝負だった。

making it possible to create complicated patterns. That is why Imabari has come in useful as an OEM base for renowned brands around the world. Blessed with a supply of clean, soft water from Soja River, Imabari is ideal for towel production, which involves process like bleaching, dyeing and washing.

Branding on which the future of the production center depended

Around 1976, the Imabari towel production industry was the biggest in Japan with the greatest output and more than 500 affiliated companies. But the number of affiliated companies gradually declined, and production volume also kept falling. It was clear that the decay would continue if the situation was left as it is, and several attempts were made to revitalize the industry using subsidies, but things did not go well. In 2006, making use of an initiative to support cultivation of JAPAN brands, an effort was made to create an “Imabari Towel” brand. Kashiwa Sato was asked to handle the art direction. It was a big gamble on which the future of the production area depended.

(→p. 104)

ブランドロゴマークもできて三年が経ち、相変わらず生産量が減っていた二〇一〇年、わずかだが前年を上回った。これまで、二〇年近く下がり続けてきたものに効果が出て、皆が驚いた。正直、デザインの知識が疎い職人たちもいる中で、最初はブランディングは成功しないだろうという声も多かったという。当時、佐藤氏のもとへ訪ねた際、お土産で置いてきた〝今治のタオル〟。佐藤氏は、そのタオルの使い心地に感銘を受け、ブランディングの依頼を引き受けたという。使ってこそタオルの価値がわかる。そう、僕も思うし、先人たちが育んできたタオルが、デザインによって広く知れ渡るきっかけになったのだ。

未来のタオル産地

「今治タオル本店」で、〝タオルソムリエ〟資格試験の参考書をいただき、今治のタオルのこれからを考えてみる。僕たちよそ者は、「タオル」はタオルだけをタオルと認識し、タオル素材の何かや、タオル風の何かは、やはりタオルに因んだ〝お土産もの〟で、ましてや今治でわざわざ購入することもないと思っていた。かつて、首巻きと呼んだタオルは、その使い道だってさまざまだったのだろう。小さい頃から親しんできた濡れた髪や体を拭くタオルが先入観となり、その「織物」そのものの特徴を忘れていたのかもしれない。ネルからタオルへ、タオルからタオルマフラーへ、時代ごとに同じ道具（織機）を駆使して、デザインとアイデアで、変化させてきた〝努力の賜物〟。改めて、タオルという織物のことを見直してみようと思う。

今治には、何でも生み出せる可能性が大いにある。タオル工業組合の青年部では、タオルTシャツやタオルトランクスなどの新商品の開発が進んでいるそうで、一社が商標をとって、一人勝ちするのではなく、産地としてどうしていくかをみんなで考えている。現在、今治には一〇〇社ほどタオルメーカーが残っているが、まだ減っていくかもしれない。しかし今後、今治のタオルは、産地の問題解決に、誠実に取り組む次世代のタオルメーカーたちによって、育まれていく。「今治タオル」ブランドは、タオルそのものや、メーカーの成長を、切磋琢磨させる〝仲間の証し〟なのだ。

＊登場するタオルメーカーは、すべて「今治タオル工業組合」に属する

A brand logo mark was created, and 3 years passed with the production volume continuing to fall until 2010 when it exceeded the previous year by a small margin. An effect finally showed up in something that had continued to decline for nearly 20 years until then, and everybody was surprised. When the manufacturers from Imabari visited Sato, they brought their towels as souvenirs. Sato was impressed by how soft and comfortable the towels were, and decided to accept their request to handle the branding for them. Thus, towels developed by the forerunners won an opportunity to be widely known through the help of design.

Towel production center of the future

Imabari has great potential to produce a lot of things. Currently, about 100 towel manufacturers remain, but the number may decline further. However, the towels of Imabari will be nurtured by the next generation of towel manufacturers who will work conscientiously on solving the issues in the production area. The Imabari Towel brand symbolizes comradeship of manufacturers who strive to grow together.

今治タオル認定の品質基準 Imabari Towel Quality Standards

試験項目 Test Category			試験方法 Test Method	合格基準 Minimum Standard
タオル特性 Towel Characteristics	吸水性 Absorbency	おろしたてから水を吸う Fully Absorbent from Time of Purchase	JIS-L1907 / 沈降法	5秒以内「未洗濯」と「3回洗濯」の2回の検査に両方とも合格
	脱毛率 Depilation Rate	毛羽落ちが少ない Low Depilation	JIS-L0217 洗い方103法 (タオル検法)	パイル 0.2%以下 無撚糸 0.5%以下 シャーリング 0.4%以下
	パイル保持性 Pile Retention	引っ掛けても抜けにくい High Resistance to Breaking	(タオル検法)	BT・KT 2.45cN/パイル以上 FT・WT 2.16cN/パイル以上
染色堅牢度 Strength of Dye	耐光 Light	色あせしにくい High Colorfastness	JIS-L0842 カーボンアーク法	4級以上(パステル色及び淡色3級以上)
	洗濯 Laundering	洗濯や汗、こすったときも、色落ちや色移りしにくい Low Loss/migration of Color due to Light, Perspiration, or Friction	JIS-L0844 A-2号法	変退色／4級以上 汚染／4級以上
	汗 Perspiration		JIS-L0848	変退色／4級以上 汚染／3-4級以上
	摩擦 Friction		JIS-L0849 (ii型)	乾燥／4級以上 湿潤／2–3級以上(濃色及び顔料プリントは0.5級下げる)
物性 Physical Properties	引張強さ Tear Strength	破れにくく収縮、変形しにくい Hard to Tear, Resistant to Shrinkage and Change of Shape	JIS-L1096 A法 (ラベルドストリップ法)	縦／147N 以上 横／196N 以上
	破裂強さ Burst Strength		JIS-L 1096 A法 (ミューレン形法)	392.3kPa 以上
	寸法変化率 Rate of Dimensional Change		JIS-L 1096 G法 (電気洗濯機法)	±7%以内
	メロー巻き部分の滑脱抵抗力 Mero Winding Slippage Resistance		JIS-L1096 (タオル検法) 滑脱抵抗カピン 引掛け法準用	縦／20N 以上 横／30N 以上
有機物質 Organic Qualities	遊離ホルムアルデヒド Free Formaldehyde	赤ちゃんも安心、肌への刺激 Infant Safety, Little Effect on Skin	厚生省令第34号 アセチルアセトン法	吸光度差0.03以下

内子晴れ

古民家ゲストハウス 内子晴れ

uchikobare.jp

27
いしづち
ープウェイの

愛媛県のロングライフ・コーポレート・マーク　かわるかわらない

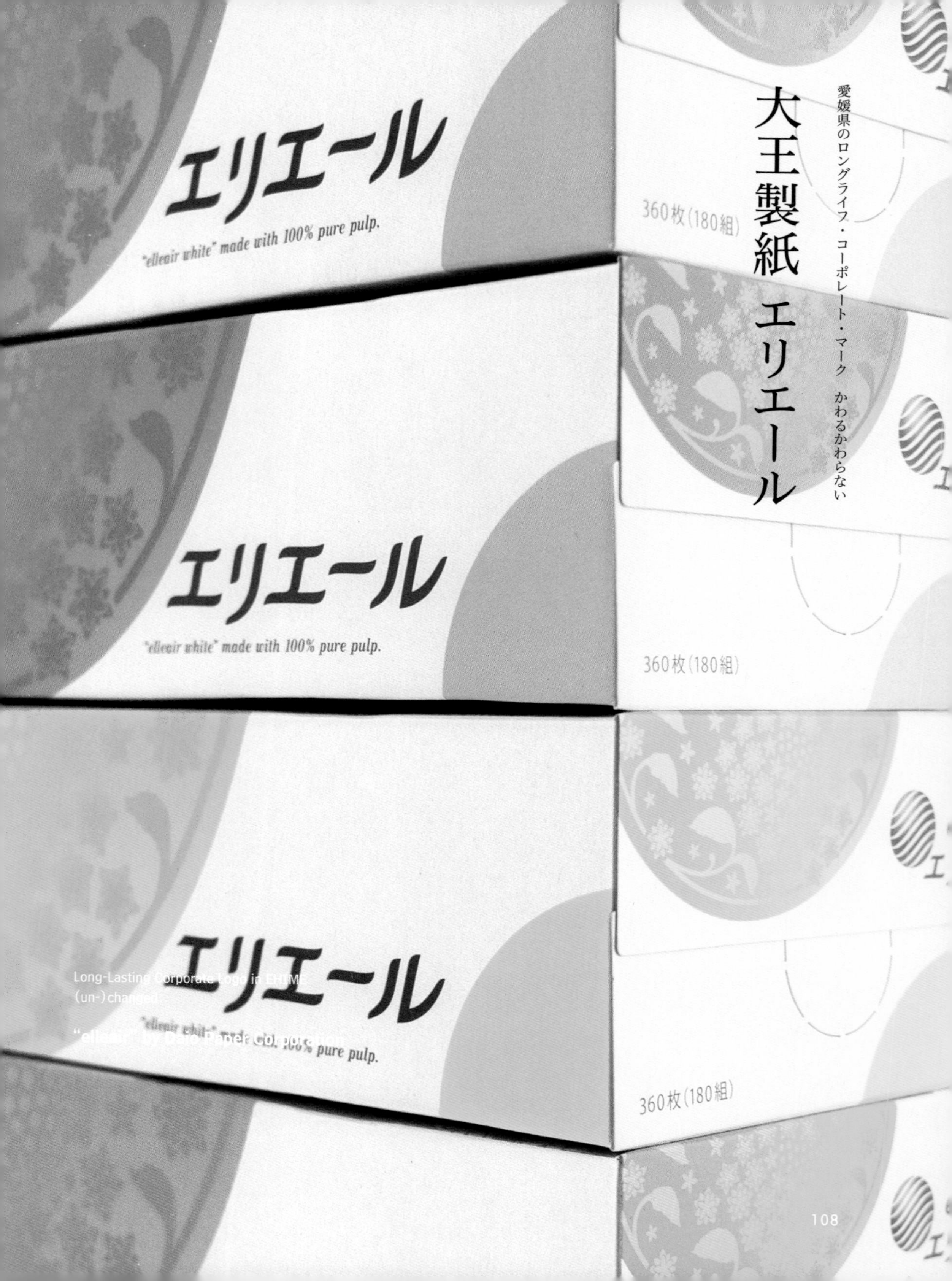

大王製紙 エリエール

Long-Lasting Corporate Logo in EHIME
(un-)changed

"elleair" by Daio Paper Corporation

Japanese	English	
エリエール	Elleair	1979
	elleair	1985
エリエール®	elleair	2001
	Elleair	2011

2015

〝その土地らしさ〟がつくるものたち

日本のものづくりには、長く続いていくものや、衰退してなくなってしまうものだけでなく、住民や行政の応援で復活するものや、移住者や若者の新たな視点でつくられる〝新名物〟もある。そんな愛媛県の風土と土地があるからこそ、必然で生まれたものたちを、本誌編集部が、デザインの視点で再定義する、〝愛媛県らしい〟ものづくり。

A Selection of Unique Local Products

The Products of EHIME

Among traditional Japanese products, some have stayed around since eras long past, while others have become lost over time. Our Editorial Department aims to identify, and redefine from a design standpoint, the various Ehime-esque products that were born inevitably from the climate, culture and traditions of Ehime Prefecture.

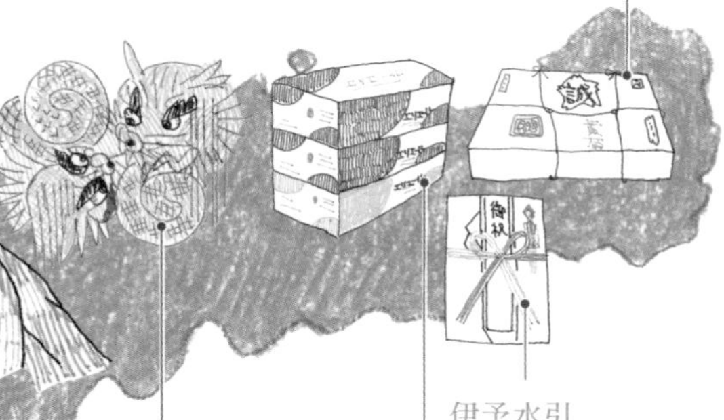

大島石
Oshima Stone

大島で採れる良質の花崗岩。墓石から、愛媛県庁舎や国会議事堂でも使用。

船
Ship

海上交通の要衝・今治で盛んな造船業。世界へ輸出されるMADE IN EHIME。

今治タオル
Imabari Towels

木綿栽培、ネル作りから発展したタオル産業。現在104社が組合に属する。

伊予手すき和紙
Iyo Washi Paper

江戸時代後期、駿河半紙の製造技術から、半紙を漉き始めたのが始まり。

伊予水引
Iyo Mizuhiki

コウゾやミツマタ、水や乾燥に恵まれた東予で、江戸時代の「元結」に始まる。

太鼓台刺繍飾り幕
Taikodai embroidery curtain

「西条まつり」の絢爛豪華な太鼓台を彩る巨大な刺繍。もはや彫刻。

紙製工業製品
Paper Product

手漉き和紙の産地は、機械化に伴い大工業都市へ。「エリエール」もここ。

桜井漆器
Sakurai Lacquer Ware

漆も木材もない土地ながら、行商の上手さから職人がこぞって集まり生まれた。

五十崎凧
Ikazaki Kite

風の少ない地域で作り続けられる、全国的にも軽量の「大洲和紙」製の凧。

野村シルク
Nomura Silk

霧がよく発生し、桑栽培に適した傾斜地があることから始まった養蚕。

節句鯉幟
Festival Carp Shaped Streamer

漁師町・宇和島で作られる鯉幟は、リアルなフォルムと重厚な色使いが特徴。

筒描染製品
Tube Drawing Products

漁師が大漁で帰港する際だけでなく、造船のお祝いにも多く作られた染物。

ふくめん
Fukumen (Cooking Using Kamaboko and Konjac)

みじん切りのみかんの皮や、うすく切ったかまぼこを使った宇和島の郷土料理。

さつま
Satsuma(Rice topped with dashi hidden from fish and miso)

愛媛県のはだか麦は日本一の生産量。その麦味噌を使った、南予の漁師飯。

鹿面
Deer Mask

宇和島で400年続く「八ツ鹿踊り」のお面を元にした郷土玩具。

丸ずし
Maruzushi (Nigiri Sushi with Tofu Refuse)

酢飯の代わりにおからを使う握り寿司は、米の穫れない南予ならでは。

菊間瓦
Kikuma Tile

自然乾燥に最適な気候が生んだ瓦。古くから海上輸送で全国へ出荷された。

伊予かすり
Iyo Kasuri

日本三大絣のひとつながら現在存続の危機。手頃な価格と多彩な絵柄が人気。

伊予竹工芸品
Iyo Bamboo Crafts

道後温泉を訪れた聖徳太子が、その竹林の多さに籠の編み方を伝授した。

北条鯛めし
Hojo Tai-meshi (Seasoned Rice Cooked with Sea Bream)

神功皇后が鹿島明神に戦勝祈願した折、鯛を使って炊いた祝い飯が起源。

砥部焼
Tobe Ware (Japanese porcelain)

砥石産地で悩みの種だった砥石屑を原料に生まれた白磁器。

緋のかぶら漬け
Red Pickled Turnip

柑橘のダイダイ酢で漬けた「伊予緋カブ」の漬物。鮮紅色は自然の色。

姫だるま
Princess Daruma

神功皇后がモデルのだるまは、子供の成長と幸せを願う縁起物。

いも炊き
Imotaki (Taro and Chiken Stew)

大洲自慢の「夏芋」を使った煮物。椎茸や鶏肉など具沢山で美味しい。

大洲和紙
Ozu Washi Paper

コウゾやミツマタ、水に恵まれた土地。薄くて漉きムラの少ない手漉き和紙。

宇和米
Uwa Rice

実は米どころの宇和町。「わらぐろ」などの風物詩もこの土地ならでは。

柑橘
Citrus

少量生産多品種が特徴のみかん。沿岸地域ならではの気候と立地で発展。

太刀魚巻焼
Sword Fish Roll

宇和海では太刀魚漁も盛ん。天然の竹に巻き付け、炭火でじっくり焼く。

鯛
Sea Bream

黒潮が流れ込む漁場で獲れる鯛は、天然も養殖も美味しく、郷土料理にも。

宇和島鯛めし
Uwajima Tai-meshi (Sea Bream and Raw Egg Mixed and Pour on Rice)

日振島の水軍が考えた漁師飯。赤身魚・アジを使ったものは「日向飯」と呼ぶ。

アコヤ貝
Akoya Shellfish (Pearl Oyster)

真珠養殖に利用される「真珠母貝」そのものの養殖。貝柱は旬限定の珍味。

真珠
Pearl

リアス式海岸の深い入り江は、絶好の養殖地。ジュエリーデザインも盛ん。

じゃこ天
Jako-ten (Fried fish cakes)

宇和海の小魚を、手作業で骨ごとすり身にして揚げた練りもの。

Illustration : Kifumi Tsujii

愛媛県の産地を巡る旅

砥部のデザイン

神藤(しんどう)秀人(ひでと)

Exploring EHIME Production Centers

Tobe Design

By Hideto Shindo

砥部の歴史

研ぎ石「伊予砥」を産し、その職人たちを〝造部〟と呼んでいたために「砥部」。ものづくりによって栄えた町だ。そんな砥部町で、今も盛んに作られている「砥部焼」は、その砥石を原料にした「磁器」である。それは、白くて美しい、とても丈夫な器。中でも、代表的なデザインである「唐草文様」。約二五〇年の歴史がある砥部焼だが、実はその唐草文様は、わずか五〇年ほどの歴史しかないのだ。

江戸時代中期、思うようにいかなかった焼成だが、およそ二年半の並ならぬ努力の末、ようやく最初の砥部焼が生まれた。明治以降には、猛スピードで成形・素焼きされ、型絵に呉須（藍色の顔料）で模様を施す「伊予ボウル」が海外へ輸出され、世界中に砥部の名前が知れ渡ったという。ところが、大正末期からの不況により落ち込む。一方で、有田や瀬戸といった産地では、倒焔式の石炭窯や、電動ロクロ、石膏型、銅板印刷など、機械式の技術を導入。そうして近代化に取り残された砥部だったが、ある出来事が、産地の運命を変える。

戦後一九五三年、民藝運動の奨励者・柳宗悦やバーナード・リーチなどが訪れ、機械化されている他の産地と比べ、砥部にしかない「手仕事」の技術を高く評価したのだ。それに刺激され、砥部は、技法向上に取り組んでいくことになるのだが、現代までのたった半世紀ほどで〝焼物の個性〟をつくることは不可能に近い。何百年という長い年月をかけて伝え継がれてきた他の産地にあるような〝その土地らしさ〟は、即席でできるものではない。しかし、「砥部は呉須で売れ」「実用食器がないのはおかしい」「デザインができなければ駄目だ」と、叱咤した柳たちの言葉に後押しされ、砥部は生き残るために、やるしかなかったのだ。

「梅山窯」の三羽烏

今の砥部焼を構築（デザイン）したのは、「梅山窯」と言っても過言ではない。戦後、柳たちが訪れたのも梅野精陶所（通称：梅山窯）で、そこには三人の若手陶工がいた。澤田惇と岩橋節夫、そして工藤省治。共に二〇代の血気盛んな頃で、彼らを引き寄せ、統率したのが梅山窯四代目・梅野武之助だ。のちに、「梅野トリオ」とも称される三人は、柳の直弟子・鈴木繁男をはじめ、

Tobe Town's Roots

Early firing processes for Tobe ware are said to have required colossal amounts of effort and energy. From the Meiji Period (1868–1912) onward, however, producers began making "Iyo Bowls" via high-speed forming and firing of unglazed ware followed by rapid stencil-based gosu pattern application. These were exported for sale overseas and helped make Tobe ware into a well-known brand around the world.
However, local industry encountered a slump in the late Taisho and early Showa eras (1920s onward). Tobe was left behind in this race toward modernization.

In 1953, mingei movement promoter Muneyoshi Yanagi, Bernard Leach, and other prominent figures visited the town of Tobe and praised local industry highly for its handmade approach, which set it apart from other regions where mechanization was the norm. This encouraged producers to pursue new improvements in their techniques.

Three Main Figures at Baizangama Pottery

It's no exaggeration to say that the Tobe ware we (→p. 115)

「くらわんか碗」に着目した濱田庄司、「ペンペン」技法を持ち込んだ藤本能道などの指導もあり、さまざまなデザインを生み出していった。澤田による「人形型調味料入れ」、岩橋による「羊歯文様」、そして、特筆すべきが工藤による「唐草文様」。それは、産地を象徴するデザインにもなった。

当時、商品の企画や模様を考える彼らを「デザイナー」と呼んだわけではないが、機械化された他の産地は、既に専門のデザイナーがいた。そうした産地では、デザインが完成したら、デザイナーの仕事はそこで終了。型や転写を使って、ベルトコンベヤー式で商品ができていく。現代のプロダクトデザインに近しいものだ。しかし、梅山窯では、試作品ができると、専用のヘラとトンボを作り、ロクロ場の担当に渡す。「この道具を使って、この通りに仕上げてほしい」と、伝える。そして、絵付けも同じように、近隣のみかん農家などの主婦が主に担っていて、誰でも描けるように訓練したという。梅山窯をはじめ、砥部焼の窯元では分業制だったため、企画から生産まで、既存の体制でできるか否かが、重要だった。産地としての発展を一番に考えたデザインだったのだ。

産地という大きな工房

日本中に使い手も増え、有名になった砥部焼。今では、梅山窯を卒業した職人の中には、町内で開窯し、独自の作品だけでなく、「くらわんか碗」や「唐草文様」といったデザインを継承している人も多い。砥石から始まった産地は、産地一帯が大きな工房のようにも思える。

同じく梅山窯出身の「中田窯」の中田正隆さんを訪ねると、陳列された器の中に〝ラシャ判〟で描かれた「鱗文様」があった。鈴木繁男がデザインに使っていた技法で、中田さんにとって彼との思い出はかけがえのないものだった。釉薬の研究で、一度は故郷を離れるが、砥部に戻り、よく鈴木を訪ねたという。そうして培ってきた経験や技術は、今では息子夫婦の「皐月窯」へ伝えられ、次世代の砥部焼へと続いている。呉須のグラデーションを施す「ヨシュア工房」、テキスタイルデザイナー石本藤雄氏も携わる「すこし屋」など、〝新しい砥部焼〟も、産地を盛り上げている。焼物の一大産地としての周知は、遅ればせながら、だからこそ蓄えてきた〝手づくり〟の砥部焼。この土地ならではのデザインだ。

know today was originally created at the Baizangama Pottery. Three young potters worked at Baizangama when Soetsu visited in the postwar period: Jun Sawada, Setsuo Iwahashi and Shoji Kudo. This group, nicknamed “the Umeno Trio,” were highly passionate artists in their twenties brought together and led by the workshop's fourth-generation head Tatsunosuke Umeno. Together they produced a range of fascinating designs.Baizangama and other local workshops were specialists in their specific field who carried out all phases of production, so it was important that they be capable doing everything from planning through to production under their existing operations frameworks. Their design approach was intended to help the production region prosper.

The Town as One Giant Workshop

Tobe ware went on to become more widely used and known throughout Japan. Today, many of the artisans who studied at Baizangama go on to open their own workshops in Tobe town and continue the tradition of making, scroll-pattern pottery and similar items in addition to developing their own products.

BUENAVISTA

愛媛県のロングライフデザインを探して

えひめ飲料の「ポンジュース」

神藤秀人

Looking for Long-Lasting Design in EHIME

"POM Juice" by Ehime Beverage

By Hideto Shindo

POMポンジュース(800mlペット)
☎089-923-1511(株式会社えひめ飲料)
www.ehime-inryo.co.jp

愛媛県の飲料メーカー「えひめ飲料」。同社の前身「愛媛県青果販売農業協同組合連合会」の会長・桐野忠兵衛は、愛媛県のみかん産業の発展を考えていた。一九五一年には、アメリカの果樹産業の状況調査に渡米。ジュース工場を見学し、オレンジやグレープフルーツが運ばれ、みるみるうちに缶詰や飲料になっていくのを目の当たりにした。みかんをはじめとする柑橘類が飲料としての販売形態に向いており、あらゆる可能性を持っていることに気づいたという。帰国後、工場を創設。一九六九年、他社に先駆け、天然果汁一〇〇パーセントジュースの「ポンジュース」が誕生した。「愛媛では蛇口からポンジュースが出る」と、誰もが一度は耳にしたことがある噂。それは県外に出た愛媛県民による、故郷愛の表れだそうだ。そんな都市伝説をも再現してしまう「えひめ飲料」は、いつでも地元愛に溢れている。今ではスーパーなどの量販店や、しまなみ海道の〝サイクルオアシス〟など、日本全国で購入可能で、親しみやすいパッケージも魅力的。二〇一九年、ポンジュースは生誕五〇周年を迎え、これからもロングライフデザインのジュースとして、愛媛県だけでなく、日本中からも愛され続けるだろう。

Ehime Prefecture's beverage manufacturer: Ehime Beverage. When the company was founded, the president was thinking about the development of the then still unknown Ehime mikan (mandarin orange) industry. He traveled to the United States in 1951 to find out more about the American fruit industry. He toured juice factories and saw how citrus fruits were transported and transformed into canned fruits and beverages before his very eyes. He realized that there were a lot of potential in citrus fruits and that he could sell it as beverages. He then established a factory after he returned to Japan, and created Japan's first "POM Juice", a 100% natural juice, in 1969. Former Ehime citizens had been saying that "POM juice comes right out from taps in Ehime!" as their way of showing their love for their hometown. Ehime Beverage – who has literally made this saying come true – is held dear in the hearts of the locals. POM Juice is now sold across Japan in various attractive amiable packaging formats, includeing mass retailers like supermarkets. POM Juice will continue to be loved as a ng-lasting juice product not only in Ehime Prefecture, but also throughout Japan.

愛媛県のロングライフな祭り

一遍上人と柳宗悦

坂本大三郎（山伏）

一遍上人は、伊予国の豪族である河野氏の出身とされます。僕の心の片隅には、「一遍のように生きてみたい」という思いが常にくすぶっていました。一族の争いに嫌気がさし、一遍は出家し、信仰の旅の中に身を投じました。

一遍が信じたのは、南無阿弥陀仏という念仏を唱えさえすれば人は救われるのだという教えです。一遍に連れ立って念仏を唱え、踊りをおどった人々の芸能や祭りも、日本各地に残されています。一遍に強い関心を持った民藝運動の提唱者、柳宗悦は「僧を棄て、寺を棄て、俗を棄て、衣を棄て、食を棄て、身を棄て、心を棄て、一切を独一なる名号（南無阿弥陀仏という言葉）に捧げつくした」[*1]のが、一遍の人生であったと述べています。

一遍が生きた時代は、人々の心が乱れ希望のない「末法の世」という風に考えられたとされます。柳は「どの時代にいようが、まさにその時代が末法の世であり、極悪の世である」[*2]と述べ、物事を二相（分離的）に見るのではなく、一つの根源を言葉で表し唱えることで、全てのもの

Yanagi said, “No matter the era, it is the latter age of extreme evil,” and held that “spiritual poverty and cultural vulgarity are the worst today.” He liked the teachings that, holding that Buddhism’s defiled land is “a dualistic and conflicted world,” advocate expressing the origin through words rather than seeing phenomena as separate, thereby adopting a perspective that sees all as one and finding Amida Buddha within the self to acquire salvation in this world.

Yanagi thought that craftspeople making things by devoting themselves to their art is the same as the words that Ippen devotedly recited, and that it was for this very reason that folkcrafts are beautiful.

However, this brilliant idea left Yanagi’s hands, taking on a life of its own, giving rise to dualistic ideas. As craftspeople became “folkcraft artists,” it become vulgar. This is the way things in the world turn out to be.

As Yanagi said, it is always latter times. Reflecting on the self, one’s dualistic mind and vulgar body appear, giving rise to the desire to live like Ippen and drawing me to his journey.

Yanagi Muneyoshi, *Namu Amida Butsu* (Iwanami Bunko), p. 230.

坂本 大三郎　現代の感性と客観性を併せ持つ山伏。東北出羽三山での山伏修行で、山伏の在り方や山間部に残る生活技術に魅せられ山形県に移住。山は人智を超えた「わからないもの」の象徴だと考え、そこにある奥深い文化や風習を、わかりやすい言葉と魅力的な絵で伝える。イラストレーター、文筆家としても活躍。

Daizaburo Sakamoto　*Yamabushi* (mountain priest) with a modern sensitivity and objectivity. During training as *Yamabushi* in Dewasanzan, Tohoku, he was attracted by the way of life of mountain priests and the art of living that remains in mountainous regions, and so he decided to relocate to Yamagata. Based on his belief that mountains are the symbol of "things we don't know" that surpass human intellect, he conveys the profound culture and customs in mountainous regions through easy to understand language and attractive illustrations. He is also active as an illustrator and writer.

に繋がりを見出し、それによって末法を生きる自らの中にも仏、救済を見出す、その思想に共鳴したのでした。

柳は、職人が唯ひたすら手仕事をしてものを作り出すことと、一遍が唯ひたすら唱える言葉が同じものであると考え、だからこそ職人が作り出すものが美しく、それが民藝の美なのだと考えました。

しかし、その思想が柳の手を離れ、民藝という言葉が一人歩きして二相が生じ、職人が民藝作家となるにしたがって民藝は俗臭にまみれるようになってしまったように思えます。それは民藝だけが悪いということではなく、世の中というものはそういう宿命を負っているものなのでしょう。

柳の言うように、いつの時代も末法で、世の中だけでなく自分を省みてみれば、自分の心もまた二相に満ち、身は俗臭を放っています。そんな時、心の片隅に眠っていた「一遍のように生きたい」という思いがゆっくりと頭をもたげ、僕をその漂泊の旅路に誘うのです。

＊1　柳宗悦『南無阿弥陀仏』（岩波文庫）p.230

＊2　前掲書 p.120

Long Lasting Festival in EHIME

Ippen and Muneyoshi Yanagi

By Daizaburo Sakamoto (*Yamabushi*)

Ippen was from Ehime's powerful Kono clan. Today in the prefecture, there are still many places connected to him. Part of me had always wanted to live like Ippen. Tired of familial feuding, he joined the monastic order, committing himself to a religious journey.

Ippen believed that people would be saved by reciting the *nenbutsu*: Namu Amida Butsu. Throughout Japan, there are performing arts and festivals that one can trace back to him. Muneyoshi Yanagi, a key figure in the Japanese folkcrafts (*mingei*) movement, said that Ippen's life was one of "devoting everything to the *nenbutsu*, having renounced priests, temples, the mundane, clothing, food, the body, and the mind."

The era in which Ippen lived was thought to be the hopeless and spiritually chaotic latter age of Buddhism.

IYOTETSU
その3 ネオポンジュース(➘)濃縮果汁(➘)のできるま
原料
洗滌
サイズ選別
搾汁
フィニッシャー
脱気
瞬間殺菌
充填
空巻締
天然果汁
ネオポンオレンジジュース
POM
遠心
超遠
ビン又は缶詰
瞬間殺菌
倉庫
冷却
冷蔵
濃縮
切付
濃縮果汁
箱詰
冷却

IYAZAKI TOWEL
imabari
mufflers
& shawls
blankets,
neckties,
handkerchiefs,
shampoo
JUICE
TEN

無茶々園

愛媛県の〝奇跡のような園地〟

相馬夕輝（あいまゆうき）

「無茶々園」との出会い

みかんジュースには、大きく二つの種類がある。一つは、その果実を搾るだけのストレートジュース。もう一つは、流通を視野に、収穫し果汁を搾り濃縮させ、消費地で濃縮されたジュースの濃度を還元してつくる濃縮還元ジュース。濃縮還元ジュースは、搾ったままのストレートジュースよりも保存期間が長く、流通に適しているため価格は安く、大量生産に向いている。一方、みかんそのものの味わいをしっかり感じることができるのは、ストレートジュースの方。〝搾ったまま〟ということは、そのみかんがどのような環境や育て方をしたか、ということが、ジュースの安全性や美味しさに直結してくる。できれば安全で美味しいみかんジュースを、と、自分たちの店（d47食堂）を始める際に、メニューとして紹介できる生産者はいないか、と探していた時に出会ったのが愛媛県西予市明浜町の「無茶々園」だった。みかんジュースの種類は豊富で、季節ごとにその種類が変わっていく。ジュースにも季節感を感じることができるのだ。温州みかん、ポンカン、伊予柑、ネーブルオレンジ、不知火（デコポン）、せとか、はるか、なつみ、清美、八朔、甘夏、河内晩柑と、一〇月頃から翌年の六月頃まで、さまざまな柑橘が季節ごとに味わえる。愛媛県は、日本を代表する〝みかんの一大産地〟といわれるその理由と、無茶々園の取り組みを伺いに、僕たちは、明浜町を訪ねた。

みかん栽培と明浜

そもそも、なぜ愛媛県がみかんの産地となっているのか。宇和海に面した明浜町は、山から海に向かって急峻な斜面があり、その斜面に沿って段々畑がつくられている。太陽からの日射量はもちろんだが、海からの反射、また石灰岩質の岩を使って、段々畑の石垣をつくっていることで、その石灰岩質の白い岩肌もまた太陽光を反射する。みかん栽培に必要な日射量をたっぷりと得ることができるその環境のことを「三つの太陽」と呼ぶことがあるらしい。また、石灰岩が混じった土質は、水はけを良くしてくれるため、樹は頑張って地中から水分を吸い取ろうと根をしっかりと深く張るようになり、たくましく育つ。過剰な水分は、水っぽい味わいに繋がるため、水はけの良さが、味の違いに反

Citrus Cultivation in Akehama

Why exactly did Ehime Prefecture become such a major center of citrus production?

The town of Akehama-cho is situated on mountainous terrain sloping steeply down toward the sea, with terraced orchards and fields planted along the inclines. This not only ensures large amounts of direct sunlight, but also sunlight reflected off the water. White limestone walls are used to form the terraces, and they reflect light as well. Together, these comprise what local growers call “the three sunlights.” Additionally, local soil contains limestone, which gives it excellent drainage properties. This encourages trees to dig deeper roots in order to extract water from the earth, making them stronger. Day–night temperature differences also give depth of flavor to the fruits.

The local area is well-suited to citrus cultivation, which tempts one to think this has always been a central product of the region. However, that is not the case. Akehama began growing mandarins about 60 years ago in response to a national citrus-growing promotion measure (→p. 126)

映される。あとは昼夜の寒暖差。多くの果樹や野菜に共通して、この寒暖差があることで甘みを増し、味わいを深くすることがある。僕たちは、一二月の中旬に伺ったにもかかわらず、明浜町はぽかぽかとした陽気に包まれていて、まるで愛媛県には、既に春がやって来ているようにすら思えたほどだ。長袖のTシャツ一枚でもいけなくはないくらい……そして、夜は静かにスッと気温が下がる。これら、みかん栽培に適した環境が揃っているため、ずっと昔からみかん栽培をしていたのかと思ったが、実はそうではなく、およそ六〇年前、戦後の国策として、みかん栽培を愛媛県内で取り組んだことで始まったのだという。段々畑自体は、江戸期からあったそうで、みかん栽培を始める以前は、蚕用の桑やサツマイモ、麦などを育てていたらしい。今でも、無茶々園の事務所が入る「旧狩江小学校」には、当時の農家に残っていた農民具を集めて展示しているスペースがあるけれど、その時代の農民具には、蚕から糸を紡ぐ道具などはあれど、みかん栽培の道具は一切ない。しかし、当時からこの環境を生かした農業を行なっていたことが、地域の基底としてあることがわかかった。

無茶々園の創業、その思い

無茶々園は、一九七四年に明浜のみかんの有機栽培に取り組む、若手主体の農業者の集まりとしてスタート。創業メンバーでもあった片山元治さんの奥さん、片山恵子さんにお会いすることができたので、当時のお話を伺った。当時は、国策としてのみかん栽培が奨励された結果、全国でもみかん栽培が着手され、生産過剰となる状況に陥っていたと言う。結果、市場で価格決定される金額が低く、自分たちで価格を決めることができないジレンマが生まれていったそうだ。また、作家の有吉佐和子(故)による『複合汚染』が新聞で連載され、環境汚染の問題は農家に限らず、生活者にも大きな影響を与えた。「無農薬でつくるぞ!」と売り先も考えずに、地域内の一五アールの伊予柑畑を、有機農業の実験園にしたことが無茶々園の始まり。そして、いわゆる市場を通さずに自分たちで価格を決めて流通していく道を選んだ。しかし、つくったはいいものの、どう流通するかを決めずに始めたため、何日も売り歩いて手応えがないから帰れず……という日々があったそうだ。「お父さんたちはいつ帰ってくるのだろうか」

undertaken in Ehime Prefecture. The terraced fields—now orchards—have been around since the Edo Period (1600–1868) and were previously used for mulberry trees (for silkworm cultivation), sweet potatoes, grains and other crops.

Founding of Muchachaen and Its Approach

Akehama's Muchachaen began organic growing of citrus in 1974, initiated by a group of young farmers.

Back then, the national government was promoting citrus cultivation, and these efforts led to growth of the crop all around Japan and excessive production yields as a result. They decided to dedicate 1500 square meters which used to grow iyokan citrus fruit, to producing pesticide-free fruits without worrying about potential buyers just yet, and this experiment became today's Muchachaen. Growers set their own prices and directly distributed their own products rather than going through traditional market channels.

Although their start was a bit shaky, they are now active in a wide range of fields where they sell numerous (→p. 129)

鯨茶々園で生る
みかんカタログ

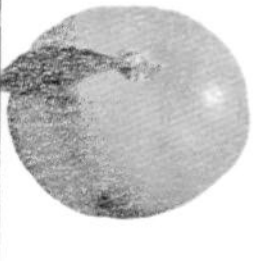

温州みかん
酸味　ふつう
甘み　ふつう
内皮　薄く柔らかい
果汁　たっぷり
サイズ 5〜8㎝
季節　10〜12月

甘夏
酸味　強い
甘み　ふつう
内皮　厚め
果汁　ほどほど
サイズ 9〜12㎝
季節　3〜6月

ネーブル
酸味　ふつう
甘み　ふつう
内皮　薄く柔らかい
果汁　たっぷり
サイズ 6.5〜10㎝
季節　2月

不知火(デコポン)
酸味　ふつう
甘み　とても強い
内皮　薄く柔らかい
果汁　たっぷり
サイズ 7〜10㎝

酸味　ふつう
甘み　強め
内皮　薄く柔らかい
果汁　ほどほど
サイズ 6〜9㎝
季節　1〜2月

八朔
酸味　やや強い
甘み　ふつう
内皮　厚め
果汁　ほどほど
サイズ 8.5〜11cm
季節　2〜3月

弓削瓢柑
酸味　ふつう
甘み　ふつう
内皮　少し厚め
果汁　ほどほど
サイズ 6.5~9cm(横)
季節　5月

ゆず
酸味　とても強い
甘み　少ない
内皮　厚め
果汁　たっぷり
サイズ 6〜9㎝
季節　11〜12月

文旦
酸味　やや強い
甘み　ふつう
内皮　厚め
果汁　ほどほど
サイズ 10〜13cm
季節　2〜3月

清見
酸味　ふつう
甘み　ふつう
内皮　薄く柔らかい
果汁　たっぷり
サイズ 6.5〜9㎝

と、心配する日々だったという。無鉄砲とも言えるスタートだが、この地域で暮らし、自分たちの足でしっかりと生きていくための選択をする、ということは、仮に間違いがあったとしても行動を起こすことが、大事だということかもしれない。現在、加工品の種類も多く、化粧品開発、地域福祉などにも取り組みを広げているチャレンジを見ていると、創業精神は今もしっかりと受け継がれているように思える。

無茶々園のみかんは、形は悪いが味は良い

「農薬や化学肥料に頼らないでみかん栽培を行なうこと」を基本とした考えを持つ無茶々園にとって、みかんで大切にしたいのは外見よりも味の良さ。そのため、市販のみかんに比べると、形や色がきれいなわけではない。農薬の使用を抑えれば見た目はどうしても悪くなる。冒頭にも書いたが、たくさんのストレートみかんジュース用のみかんをつくる無茶々園にとって、加工場で他地域の生産者のみかんと比較すると、粒は小さく、黒い点々も多く、明らかに見た目が違うそうだ。しかし、搾ったジュースはさらに違いが明らかだという。無茶々園のジュースは他に比べて赤く、何より糖度が高い。生産者と同じ思いを消費者、生活者も共に理解し合えていれば、みかんの外見をよくしていく必要はない。一般流通で不特定多数を目指さないことを選んだことで、勝ち得たこと。現在は、みかん農家は八〇軒以上、また、その栽培品種もみかん以外の野菜なども含めて、およそ三〇種類以上となった。無茶々園の理解者も全国に広がっていく。

無茶々園の挑戦を支えるもの

明浜は山と海が近接し、その中で実際に生産者の皆さんも生活をしている。農業も生活も、その全てが海の環境にも直接的に影響を与える可能性があるため、地元漁業者と協力し、合成洗剤を使わないなどの生活改善の取り組みを行なってきた。その中で、海で収獲されるちりめんじゃこや、真珠養殖用のアコヤ貝の貝柱を販売している。無茶々園にとって、みかんづくりは目的ではなく、あくまで手段。この地で長く心豊かに生活を送ることができることが、本来の目的である。そのために、山のみかん、海のちりめんじゃこなどがあり、もっと言うと、その

as a top priority, and the choice to avoid a typical distribution system that impersonally targets countless unknown sellers and buyers has helped to make Muchachaen a success. Currently, more than 80 private citrus growers have joined Muchachaen. Their produce assortment has expanded to more than 30, including some vegetables. Growing numbers of consumers are interested in what Muchachaen has to offer.

Supporters of Muchachaen's Efforts

Akehama has both mountains and sea, and agricultural activities and local lifestyles can potentially affect the marine environment. Therefore, growers work in cooperation with he local fishing cooperative to eliminate synthetic detergent usage and achieve other lifestyle-related improvements.

Muchachaen sells sardines caught in nearby waters, abductor muscles from shellfish used in Akoya pearl cultivation, and other such products in addition to mandarins. Muchachaen views citrus production as a means, not as an end, ecause their ultimate goal is ensuring long and fulfilling lives for local community members.

取り組みは、食品だけに止まらない。現在、化粧品の開発、高齢化の進む地域内の福祉の取り組み、もちろん、これからの若手農業後継者をいかに育てるかを目的とした新たな有機農業の大規模化を推進する事業も始めている。旬の時期に大量に穫れる野菜を、乾物にして商品化する取り組みも、その一環。今回の取材を共にしていただいた、無茶々園の広報の藤森美佳さんは、「無茶々園にとっての判断基準は、この町にとっていいことかどうか。そして若い人が取り組んでいくことは、とにかくやってみようとする。現状維持ではなく発展し続けていくことが、長く続いていくためには必要」と、教えてくれた。無茶々園の新たな取り組みが全て事業としてうまくいっているわけではないという。しかし、一〇年は見守って育てていく。なぜなら、創業したみんなが、この地で、そうやって活動し、生きてきたのだ。無茶々園で働く人は、みんなこの明浜の気候のように温かい。「この場所で生きていくこと」そう考えて取り組むことは、町のためになり、それを信じて歩み続ける意識が、多くの挑戦を支え続けている。

processed food products, develop cosmetic goods, and even help with local-community welfare efforts.

Muchachaen Mandarins: Substandard Appearance, Excellent Taste

When Muchachaen decided to pursue mandarin orange cultivation that didn't rely on pesticides and chemical fertilizers, they realized they would have to focus more on taste than product appearance. As long as consumers and users are on board, there is no need to focus on citrus product appearance

その土地のデザイン

愛媛もよう

日本じゅうを旅していると、その土地にしかない、〝その土地ならではのデザイン〟が落ちています。それは、紙、布、陶磁器、ガラス、金属、木工、絵画、文字、芸能、祭り、食、生き物、自然――さまざまな〝模様〟。もし、あなたが愛媛県でデザインの仕事をするならば、何をヒントにしますか？　そんな、愛媛県のデザインを探してみました。

Designs of the land

EHIME patterns

As you travel around Japan, you will come across designs unique to the land that can only be found there. Patterns like paper, cloth, pottery, glass, metals, woodwork, paintings, calligraphy, performing arts, festivals, food, animals and naturwe. If you are a designer in Ehime, where can you get hints? We searched for Ehime designs that can serve as hints.

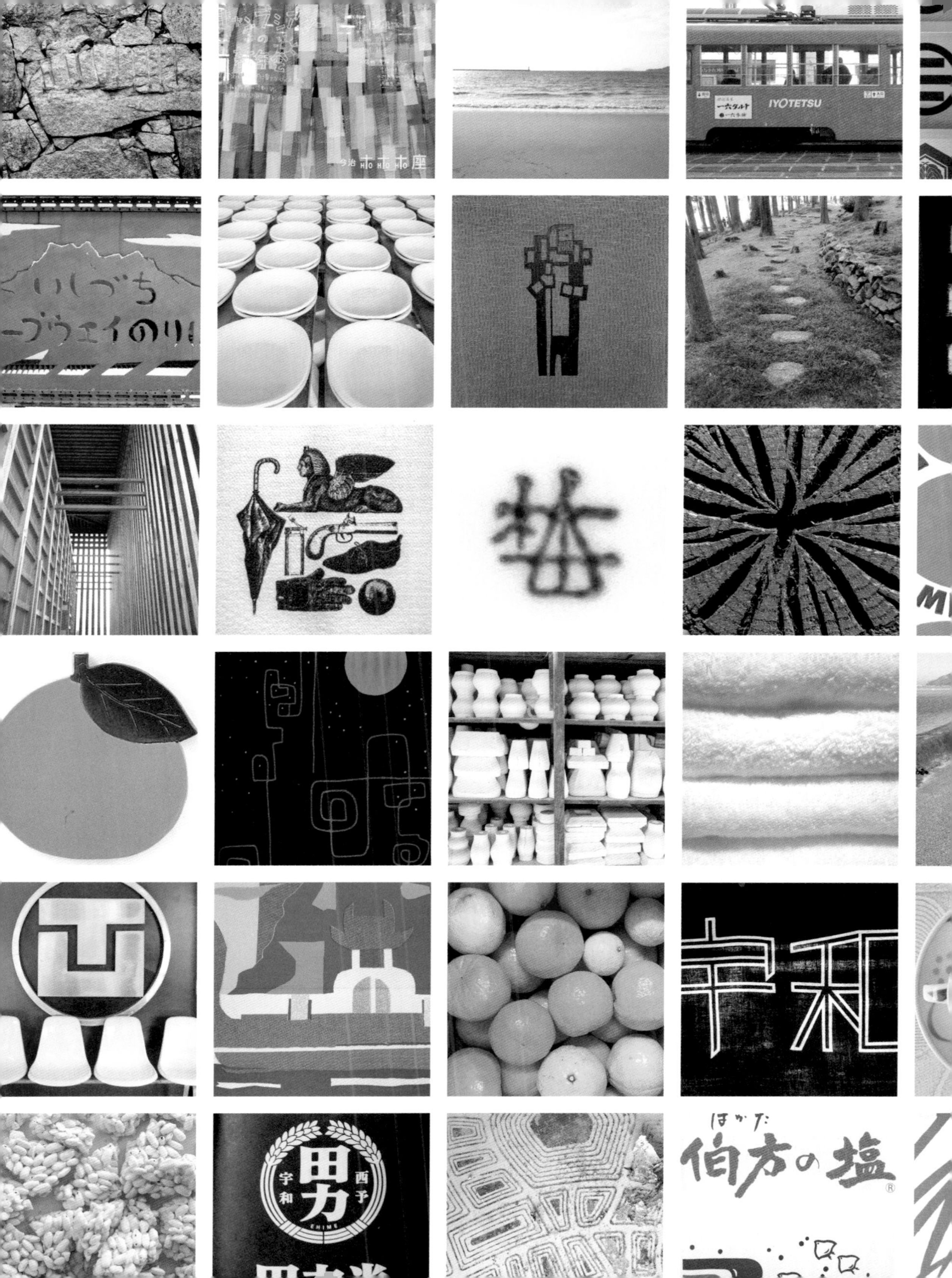
IYOTETSU
いしづち
宇和
田力
宇和
西予
EHIME
はかた
伯方の塩

愛媛県の味

愛媛定食

相馬夕輝（あいまゆうき）
（d47 食堂ディレクター）

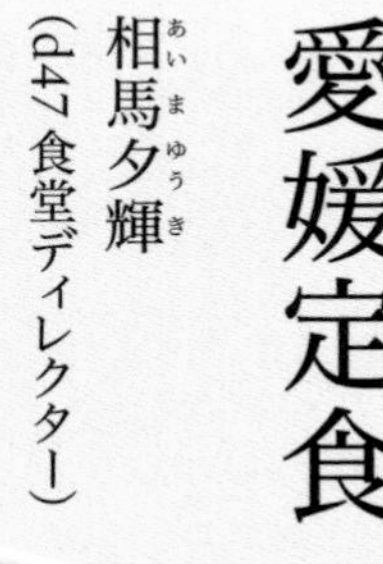

※左下から、時計回りに

【日向飯】
「無茶々園」の片山恵子さんに教えてもらった「日向飯」。ネギをニラにすると、また格別な美味しさ。

【こんにゃくのみがらし】
「一柳こんにゃく」の「媛だるまこんにゃく」に、麦味噌とからしと酒と砂糖と米酢で和えた、みがらし。

【季節のみかん】
明浜町の段々畑で収穫される「無茶々園」のみかん。農薬を抑えると、外見は悪くても、味は美味しい。

【じゃこ天】
「宇和島練り物工房みよし」のじゃこ天。味違いで。朝取れの生魚を使うので、素材の美味しさを感じる。

【石鎚黒茶】
酸化発酵と乳酸発酵を経て作られる、ほんのり酸味を持つ「さつき会」の独特な発酵茶。

【味噌汁】
宇和島で無添加麦味噌をつくる「井伊商店」の麦味噌を使った味噌汁。「松山あげ」を浮かして。

料理　濱中彩乃(d47 食堂)
写真　山﨑悠次

段々畑の美しい景色に柑橘類が豊富に育つ

愛媛県の瀬戸内海に浮かぶ、大島や大三島などの島々、また、宇和海に面する南西部の八幡浜から西予、宇和島までの一帯は、全国有数のみかん栽培の産地。西予の有機栽培に取り組む運動体「無茶々園」では、ジュースやマーマレードに加え、化粧品などの加工商品の開発も行なう。愛媛の人は、みかんは、買わずに貰うもの(笑)らしい。確かに、誰かに会うと、これ持って行きな、とみかんを渡されることが多かった。無茶々園では、元々はサツマイモや麦のための段々畑だった場所を、国策としてみかん栽培に取り組み、転換してきた歴史がある。麦は、現在でも栽培されており、中でも「はだか麦」は、全国の約四割の生産量を誇る。宇和島の「井伊商店」では、このはだか麦と塩だけで味噌をつくっている。それは、まるでパイナップルのような甘い味わいが特徴で、豚肉料理などによく合うという。おでんや、こんにゃく、ふか(鮫)の湯ざらしなどにつける「みがらし」というタレに使われていた。もちろん愛媛の味噌汁は基本甘く、九州も甘いが、もしかしたらそれ以上(?)かもしれない。

EHIME's "Home Grown" Meal

By Yuki Aima (Director, d47 SHOKUDO)

Above photo, clockwise from the the bottom left: ***Hyuga-meshi***: Keiko Katayama from Muchachaen introduced me to this dish.; **Konjac with Spicy *Miso*:** Hime Daruma Konnyaku–brand konjac from Ichiryu Konnyaku. Flavored with spicy *miso*, sake, sugar and rice vinegar.; **Seasonal Mandarin Oranges:** Mandarins from Muchachaen in Akehama-cho.; ***Jako-ten*:** Ultra-tasty fried fish cakes from Uwajima Nerimono Kobo Miyoshi.; **Ishizuchi-kurocha Tea:** Slightly tart, lactic-acid- and oxidative-fermented tea from Satsukikai.; ***Miso* Soup:** Ii Shoten's additive-free, Uwajima barley *miso* soup with Matsuyama age fried tofu.

Abundant Terraced Citrus Fruit Orchards
The islands of the Seto Inland Sea, as well as the area stretching from Yawatahama to Seiyo and Uwajima in southwest Ehime Prefecture, together comprise (→p. 135)

漁師文化に明確な起源はなし

「じゃこ天」製造者にとって、年の暮れは繁忙期。自宅用に限らず、親戚への贈り物など、それはもう、次から次へとお客さんが店に入っていく。その活気は、とても生命力に溢れていて、見ているだけでエネルギーをいただける。じゃこ天の原材料はお店によって少しずつ違うが、その多くは、はらんぼ(ほたるじゃこ)を使う。東北の伊達家が宇和島藩主であったことで、東北の練り物技術が愛媛に伝わったという説や、大量に獲れる雑魚や骨の多い魚を、なんとか効率よく食べようとして生まれたという説など、その起源は定かではないけれど、どちらも納得できる。瀬戸内海や宇和海では、他にも、鯛やアジ、メバル、エソなどが獲れる。

鯛は、東予・中予では、炊き込みご飯としての「北条鯛めし」が主流だが、南予の宇和島では生卵や骨からとった出汁と混ぜて薬味を加えてご飯にぶっかける「宇和島鯛めし」として食べられている。東西でこうも違うのだ。また、刺身で味わった後、残した鯛を、翌日まで〝漬け〟にし、それを宇和島鯛めしのように卵をかけて食べるのが、西予の明浜で伝わる「日向飯」だそうだ。

bony fish. The Seto Inland Sea and Uwajima area also see large catches of sea bream, horse mackerel, dark-banded rockfish and lizardfish.

The dish *tai-meshi* in the Toyo region in eastern Ehime generally refers to sea bream cooked with rice, however, in the Nan'yo region around Uwajima, *tai-meshi* is a dish in which raw egg, bone-derived broth and other ingredients are mixed and poured over the sea bream and rice. Another variant, *Hyuga-meshi* from Akehama in the Seiyo region, uses leftover sea bream *sashimi* from the previous day, served over rice with egg topping.

Flavors from Both Mountains and Seas

Shikoku has a culture of lactic-acid-fermented teas with unique, somewhat tart flavors, including Tokushima's Awa-bancha, Kochi's Goishi-cha and Ehime's Ishizuchi-kurocha. Referred to as *sancha*, or "mountain teas," they are made in the mountains where producers utilize high-altitude temperature differences for cultivation and processing. Restaurants nearby often make unique dishes using *kurocha* (fermented tea).

相馬 夕輝　滋賀県出身。D&DEPARTMENTディレクター。47都道府県に、ロングライフデザインを発掘し、発信する。食部門のディレクターを務め、日本各地に長く続く郷土食の魅力を伝え、生産者を支援していく活動も展開。また、d47食堂の定食開発をシェフとともに担当し、日々各地を巡る。
Yuki Aima　Native of Shiga prefecture. Representative Director of D&DEPARTMENT INC. He established D&DEPARTMENT which uncovers long life designs in the 47 prefectures of Japan and transmits information of such designs. He is also serving as director of the Food Department, and develops activities to convey the appeal of regional cuisine that has a long tradition in all parts of Japan and to support producers. He is also in charge of set meal development in the d47 SHOKUDO together with chefs, and frequently travels to various regions.

日振島の漁師飯から、"ひぶり"が"ひゅうが"になったという説も聞いたが、日向国(現在の宮崎県)で食べていたからなど、これもまた諸説ある。加えて、エソを使った料理に、「さつま」という、宮崎の冷や汁に近い料理もある。水軍が発達していた愛媛だけに、九州東部の各地との文化的な交流があった形跡が食文化に多く残っている。

海と山と、そのどちらも愛媛の味

四国地方には、乳酸発酵茶の文化(徳島の阿波番茶、高知の碁石茶、愛媛の石鎚黒茶)があり、やや酸味を含む独特なお茶がつくられている。山茶と称されることもあり、どれも周辺の木々に囲まれるような、山の中で、高地の寒暖差を生かしながら栽培・加工される。また、加工所から近いレストランでは、黒茶を使ったスイーツなどが開発され、地産の食材の見直しが進んでいる。海は広く、外と繋がり、文化も往来してきた一方で、山は寒暖差を生かしながら独自な文化をじっくり内側に熟成させてきた。海と山、両方の愛媛を地元の皿(砥部焼)にのせて、一緒に味わっていただくのが「愛媛定食」だ。

one of the nation's leading mandarin orange production regions.

Muchachaen in Seiyo makes juices, marmalades, cosmetics goods and more using the fruit. They used to grow sweet potatoes, grains and other such crops in their terraced fields, but they switched to mandarin orange production in line with a national promotion policy. In Uwajima, the shop Ii Shoten uses this barley together with salt as their only two ingredients to produce barley *miso* paste, which has a sweet, pineapple-esque flavor and goes perfectly with pork dishes and various local foods.

No Clear Origin for Local Fishing Culture

The end of the year is the busiest time for *jako-ten* fried fish cake producers, with customers flooding the shops for home-use and gift purchases. Specific ingredients vary by shop, but in most cases, fish known as glowbellies are used.

It is said that local fish paste production techniques come from Tohoku, and also that local fishers developed *jako-ten* as a means of efficiently using large catches of small fry and

In-Town Beauty 28
EHIME

文 梨英さん（MUSTAKIVI）

Photo: Wakana Ono（PHOTO STUDIO THE DAY）
Hair Styling & Make-up: Emiko Takaoka
Special Thanks to: Setouchi Retreat Aonagi

愛媛県のCD

音楽フェス『ハズミズム』をはじめとする数々のイベントの仕掛け人。
「今治ホホホ座」代表の豊島吾一さんが選ぶ“愛媛らしいCD”。

Nyabo! Ssebo!

Nyabo Ssebo
(Happiness Records 2,547円)

穏やかに響き合う暮らしのリズム

愛媛県は、海と山がとても近い。海から山へ、山から海へ、どちらも少し車を走らせれば行き来できる。自然と海にいても山を感じ、山にいてもどこかで海の存在を感じているような気がする。その間を、透き通った穏やかな空気が流れているようでもある。今回、「愛媛県のCD」という言葉からイメージしたのは、その空気のような音だ。クラリネットの黒川紗恵子氏とガットギターの田中庸介氏によるユニット「Nyabo Ssebo」。南米音楽のエッセンスや変拍子を取り入れた絶妙なアンサンブル。ドラムに宮川剛氏を迎えての1stアルバム(『Nyabo! Ssebo!』)リリースツアーでは、愛媛県だけでも四か所を回った。松山、佐島、大三島、今治と、それぞれに個性のある会場だったが、彼らの生み出す音は、どの場所でも不思議なほど心地よく響いた。透き通っていて、軽快で、独特の郷愁を孕んだ、静かな強さを持った音。

CDs of EHIME

A “typical CD of Ehime” selected by Goichi Toyoshima, the leader of Imabari HOHOHOZA, who is also the mastermind behind several events including the music festival “Hazmism”.

Nyabo! Ssebo!

Nyabo Ssebo (Happines Records ¥2,547)

A rhythm of life with a calm resonance

Ehime is close to mountains and the sea. One naturally feels the presence of mountains when at sea and vice versa. An atmosphere of calmness flows in-between. Nyabo Ssebo is a group of clarinet player Saeko Kurokawa and guitarist Yosuke Tanaka. They play an exquisite ensemble integrating the essence of Latin American music and irregular meters. During the first album release tour, they performed in 4 places in Ehime alone. Each venue had its own characteristics, but their music always had a curiously comfortable resonance.

愛媛県の本

手芸家Bonami作品をはじめ、国内外の雑貨コレクションも並ぶ書店「本の轍」。店主の越智政尚さんが選んだ“愛媛らしい本”。

山の眼玉

畦地梅太郎

（朋文堂 1957年 絶版
※山と溪谷社 ヤマケイ文庫にて再販）

郷愁を呼び覚ます「眼玉」の風景

〝石鎚山信仰〟という言葉がある。台風が目前に迫っていても、「大丈夫、石鎚山が守ってくれているから」と、どこ吹く風で、今晩の夕食のことなんかを、呑気に考えていたりするのは、伊予人ならではだ。〝山の版画家〟として知られる畦地梅太郎さんは、愛媛県の南予地方の山間にある小さな農村（現在の宇和島市三間町）の出身。一六歳で故郷を離れてからも、幼少の頃から親しんでいた地元の「鬼ケ城山」や、「瓶ケ森」から望む「石鎚山」が、心の拠り所となっていたようだ。本書『山の眼玉』は、その愛媛県の山々や、北アルプスを中心とした山行が、著者ならではの飾り気のない素朴な文章と、温かみのある絵で表現されていて、実に味わい深い画文集となっている。自らの人生の歩みを〝とぼとぼ〟と表現した畦地さん。本を開くと、無欲な「山男」の眼玉を通して、子どもの頃に遊んでいた伊予の原風景が浮かんでくるのです。

Books of EHIME

A “typical book of Ehime” picked by Masanao Ochi, who runs a bookshop Hon no Wadachi together with handicraft expert Bonami. The bookshop also offers a selection of domestic and imported book-related miscellaneous goods.

Yama no Medama

Umetaro Azechi（Hobundo 1957 out-of-print）
*Yama-kei Publishers Yamekei Bunko reprint edition ¥1,045

“Eyes of the Mountain” scenery that arouses feelings of nostalgia

Umetaro Azechi, who was known as a woodblock artist of mountains, came from a small village in the valley of southern Ehime. Even after leaving his hometown at 16, Mt Ishizuchi remained an anchorage in his heart. This book is a profound collection of writings and block prints in which he described his mountain hikes in Ehime and the Northern Alps using plain unadorned language and heart-warming imagery.

愛媛県のおみやげ

編集部が本音でお薦めしたい

1. 田力米　四万十の地域デザイナー・迫田司さんのパッケージが、いかにも男臭い。"みかんでつくるお米"は、今では日本一にも。(神藤) 5kg 2,700円　**田力本願株式会社**　愛媛県西予市宇和町田野中 323-2　☎0894-89-1693　Tariki Rice 5kg ¥2,700　**Tariki Hongan Company, Ltd.**　Tanonaka 323-2, Uwa-cho, Seiyo, Ehime

2. グッドモーニングファームの瓶詰め　ジャムからピクルス、餡ペーストやオイル漬けまで。どれを買うか悩んでしまう、地産食材土産。(神藤) 1,296円〜　**GOOD MORNING FARM**　愛媛県喜多郡内子町五十崎甲1221-3　☎0893-23-9691　Good Morning Farm bottled vegetables and fruits ¥1,296〜　**GOOD MORNING FARM**　Ko 1221-3, Ikazaki, Uchiko-cho, Kita-gun, Ehime

3. 菊丸　石畳地区でつくられる断面の綺麗な茶道炭。今では移住者も技術を受け継ぎ、さらにロングライフに。(神藤) 880円　**石畳の宿**　愛媛県喜多郡内子町石畳2877　☎0893-44-5730　Kikumaru (charcoal in the shape of chrysanthemums) ¥880　**Ishidatami no Yado**　Ishidatami 2877, Uchiko-cho, Kita-gun, Ehime

4. ジュース　柑橘ソムリエの自信を感じさせるシンプルなラベル。「温州みかん」から幻の「黄金柑」まで飲み比べたくなる。(村田) 各720ml　はるか、せとか 各1,500円、ブラッドオレンジ 2,160円　**NPO 法人 柑橘ソムリエ愛媛**　citrus-sommelier.com　Juice　Haruka & setoka　¥1,500 each, blood orange ¥2,160 (each bottle 720ml)　**Citrus Sommelier Association**

5. TOBEYAKI CUP GOSU　石本藤雄氏プロデュースのモダンな砥部焼。和でも洋でも、小物入れにも何にでも。(神藤) L 3,740円、M 3,300円、S 2,750円　**ムスタキビ**　愛媛県松山市大街道3-2-27 美工社ビル1F・B1F　☎089-993-7496　TOBEYAKI CUP GOSU　L ¥3,740, M ¥3,300, S ¥2,750　**MUSTAKIVI**　Bikosha Bldg. 1F/B1F, Okaido 3-2-27, Matsuyama, Ehime

6. 牛鬼の郷土玩具　木屋旅館の床の間に立つ姿が印象的だった玩具。工芸的になった牛鬼を、我が家の魔よけに。(神藤) 1,100円　**宇和島名産即売所**　愛媛県宇和島市錦町9-2　☎0895-22-2718　Ushi-oni (demonish bull) folk toys　¥1,100　**Uwajima Meisan Sokubaijo (local produce wholesale center)**　Nishikimachi 9-2, Uwajima, Ehime

7. 砥部焼 蕎麦猪口　コーヒーに、小鉢に、プリン作りに。柄選びを楽しみつつ、つい手が伸びる毎日の器。(山口) 小 1,452円　**中田窯**　愛媛県伊予郡砥部町総津159-2　☎089-969-2077　Tobe Ware Soba Dipping Cup　Small ¥1,452　**Nakatagama**　Sozu159-2, Tobe-cho, Iyo-gun, Ehime

8. 大三島リモンチェッロ　冷凍庫でキンキンに冷やして常備し、ストレートで飲むといい。食後には欠かせない最後の一杯。(相馬) 200ml 2,100円　**リモーネ**　愛媛県今治市上浦町瀬戸 2342　☎0897-87-2131　Omishima Limoncello　200ml ¥2,100　**Limone**　Seto 2342, Kamiura-cho, Imabari, Ehime

9. チョコレート MILTOS　新宮茶のお土産を、あえてチョコレートっていうのもいい。まとめてギフトボックスだとさらに嬉しい。(神藤) 箱入り(4枚) 3,520円　**G.B.C チョコレートファクトリー**　愛媛県四国中央市金生町下分907-1　☎0896-77-5449　Chocolate MILTOS　Box of 4 pieces ¥3,520　**G.B.C Chocolate Factory**　Shimobun 907-1, Kinsei-cho, Shikoku-Chuo, Ehime

10. ATHLETIC WAFFLE　旅で重宝する乾きやすいワッフル生地のタオル。アースカラーだとアウトドアにもぴったり。(神藤) グレー、カーキ 各1,980円　**コンテックス タオルガーデン 今治**　愛媛県今治市宅間甲854-1　☎0898-23-3933　ATHLETIC WAFFLE　Grey&khaki ¥1,980 each　**Kontex Towel Garden Imabari**　Ko 854-1, Takuma, Imabari, Ehime

Photo：Yuji Yamazaki

11. 畦地梅太郎の手摺り小版画　文芸誌『アルプ』や『岳人』の表紙を飾る畦地さんの版画は山好きの象徴。「山男」に見守られて家で暮らすのも◎。（相馬）作品サイズ 10×15センチ 額入り 4,400円　**畦地梅太郎記念美術館**　⚲愛媛県宇和島市三間町務田180-1　☎0895-58-1133　Azechi Umetaro hand-printed wood block prints　10×15cm, framed ¥4,400　**Azechi Umetaro Memorial Museum**　⚲Muden 180-1, Mima-cho, Uwajima, Ehime

12. 別子飴　別子銅山の麓、銅釜で炊かれた水飴が5つの味に。1926年発売以来の紙巻き包装が可愛い。（前田）100g 324円　**別子飴本舗**　⚲愛媛県新居浜市郷2-6-5　☎0897-45-1080　Besshiame(candy)　100g ¥324　**Besshiame Honpo Co.,Ltd.**　⚲Go 2-6-5, Niihama, Ehime

13. オーガニック120　洗うほどに真価を発揮するIKEUCHI ORGANICの永久定番。黄色いタグまでオーガニック。（前田）フェイスタオル ホワイト 1,980円　**IKEUCHI ORGANIC IMABARI FACTORY STORE**　⚲愛媛県今治市延喜甲762　☎0898-31-2255　Organic 120　Face towel white ¥1,980　**IKEUCHI ORGANIC IMABARI FACTORY STORE**　⚲Ko 762, Engi, Imabari, Ehime

14. imabari mufflers　タオル産業から進化した丸洗い可能なマフラー。もはや"民藝"ともいうべき美しいデザイン。（神藤）original 各1,100円　**みやざきタオル**　⚲愛媛県今治市中寺632-1　☎0898-32-1776　imabari mufflers　original ¥1,100 each　**Miyazaki Towel**　⚲Nakadera 632-1, Imabari, Ehime

15. 砥部焼 9寸切立丸皿一つ唐草　砥部を学ぶ入門編として、まずはその曲線美をグラフィックとして体感してほしい。図案作者はもちろんあの方（→ p. 068）（加瀬）5,500円　**梅山窯**　⚲愛媛県伊予郡砥部町大南1441　☎089-962-2311　Tobe Ware 27cm Round Plate "Hitotsukarakusa"　¥5,500　**Baizangama Pottery**　⚲Ominami 1441, Tobe-cho, Iyo-gun, Ehime

16. 楚々 和綴じ帳　五十崎地区の清流が育む大洲和紙に、蛍光色の罫線と水糸のアクセント。ギフトに一筆添えても◎。（菅沼）S 825円、M 1,320円　**五十崎社中ショップ**　⚲愛媛県喜多郡内子町平岡甲928 天神産紙内　☎0893-44-4403　Soso-watojicho(notebook in Japanese style bookbinding)　S ¥825, M ¥1,320　**Ikazaki Shachu Shop**　⚲Inside Tenjin Sanshi at Hiraoka-ko 928, Uchiko-cho, Kita-gun, Ehime

17. 牛鬼コースター　鬼北町に伝わる2枚重ねの手すき和紙「泉貨紙」。牛鬼も驚くほどの丈夫さで、経年変化も楽しみ。（前田）2枚組 900円　**木屋旅館**　⚲愛媛県宇和島市本町追手2-8-2　☎0895-22-0101　Senkashi (Special Japanese Paper) Ushi-oni Coasters　Set of 2 ¥900　**Kiya Ryokan**　⚲Ote 2-8-2, Honmachi, Uwajima, Ehime

18. パン豆　石鎚山の名水が育む愛媛米「松山三井」のポン菓子。嫁入りの習わしから生まれた新・愛媛銘菓。（前田）伊予柑、えひめ柚子 各90g 各476円　**ひなのや 松山三番町店**　⚲愛媛県松山市三番町3-5-10　☎089-993-7115　Puffed Rice Iyokan & Ehime Yuzu Flavor　90g ¥476 each　**Hinanoya Matsuyama Sanbancho Store**　⚲Sanban-cho 3-5-10, Matsuyama, Ehime

18

15

16

17

d design travel 編集長が語る、パートナー企業のこと

LIST OF PARTNERS

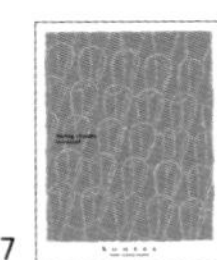

007

コンテックス株式会社　今や日本一のタオル産地・今治を代表するタオルメーカー「コンテックス」。クラシックな雰囲気の部屋にも合う『ヴィンテージワッフル』や、ベルギーワッフルのような見た目も楽しい『プレラ』など、我が家でも愛用中のタオルたち。そして、環境にも優しい『RECYCLE』シリーズは、愛媛の旅の心強い味方でした。「タオルガーデン」というファクトリーショップの名前にちなんで、庭をイメージしてタオルならではの〝パイル〟をモチーフに、ディアンドデパートメントがデザイン。

www.kontex-shop.com

008

ひなのや／株式会社りんね　「結婚式の引き出物に、ポン菓子」といった、愛媛県の東予地方に残る独特の風習。ポン菓子といえば駄菓子の定番。ひなのやは、その駄菓子がつくる「伝統文化」を楽しく伝えているポン菓子専門メーカー。夏季限定の〝抹茶味〟には「新宮茶」を、冬季限定の〝チョコ〟には「ブラッドオレンジ」を少し加えて、さらに魅力的に愛媛県の個性を発信。編集部が一番のお気に入りの〝伊予柑〟のパッケージをモチーフに、「ドーン！」と、デザインさせていただきました。

hinanoya.co.jp

011

瀬戸内リトリート青凪　もはや〝瀬戸内海の建築家〟とも言える安藤忠雄氏の建築の中でも群を抜いたラグジュアリーホテル「瀬戸内リトリート青凪」。たった七室のゲストルームは、全てがスイートルームという贅沢。愛媛県の食材をふんだんに使った料理や、砥部焼や今治タオル、みかんジュース、どれを切り取っても愛媛の最高峰を味わえます。無論、海を望むプライベートプールをはじめ、その景色は想像を遥かに超えます。絵画のように静かで、穏やかな〝凪〟のような透明感ある雰囲気をデザインで表現。

www.setouchi-aonagi.com

012

梅山窯／株式会社 梅野精陶所　今では、〝四国の焼物〟の代表となっている砥部焼。中でも「梅山窯」は、その砥部焼の源流とも言える歴史ある窯元です。砥石から、伊予ボウル、唐草文様と、さまざまに変革してきた窯元の個性。その紆余曲折の物語の中で生まれた砥部焼をグラフィカルに羅列。「太陽文」「蝶文」「菊文」など、愛媛を旅したら誰もが出会う代表的文様。砥部焼らしい呉須カラーで、砥部の歴史と未来を彷彿とするような、メッセージ性も感じなくもありません。頑張れ、砥部焼。

baizangama.jp

014

株式会社 伊織　二〇二〇年現在、愛媛県内の三店舗を含む、日本全国に二〇店舗、海外に五店舗を展開するタオル専門店「伊織」。日々の暮らしに寄り添うタオルについて、より学び、考え、新たな可能性を発信することを目的とした「タオルとくらす研究室」を開設するなど、タオルを介して、暮らしにまつわる新たな提案を生み出す活動をしています。愛媛県の柑橘や、砥部焼など、さまざまな商品も扱うセレクトショップなので、大切な人へのギフトを選ぶのにも◎。

www.i-ori.jp/shop/

018

THE 3rd FLOOR　この三階で起こる全てのことが、松山をはじめ愛媛県の未来に繋がっていきます。僕は、松山市議会議員の松波雄大さんと出会って、そう確信しました。ワークショップの会場として、地元の人との公開編集会議から始まった愛媛取材。その後も、一緒に市内を案内していただき、松山の魅力や課題を知ることができた気がします（まだまだかもしれませんが……）。ちなみに、一階は彼の家業でもあるケーキ屋さん。チョコレートケーキが美味しい。

www.t3f.jp

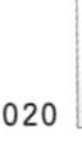

020

株式会社 五十崎社中　喜多郡内子町の五十崎地区は、かつて「流し漉き」と呼ばれる大洲和紙（五十崎和紙）の産地。書道用の半紙や障子紙として重宝されていた薄くて丈夫な和紙は、現代、需要も変化し、新しい和紙として活路を見出していました。「五十崎社中」の齋藤宏之さんによる、金属箔で模様を描く「ギルディング和紙」など、県内各所で見かける美しい和紙。「暁工房」とオリジナルのアクセサリーを作ったりと、精力的です。

www.ikazaki.jp

089

BRUNO／ダイアテック株式会社　京都市北区に本社を構える、自転車の製造・卸会社。自転車レースの出場経験が豊富な、スイス人のブルーノ・ダルシー氏と共同開発した小径車「BRUNO」に乗って旅をした、編集部「お気に入りの一本道」を連載中。今号は、近代化産業遺産で国の重要文化財、日本で現存する道路開閉橋としては最古の大洲市の長浜大橋（通称「赤橋」）の一本道。しまなみ海道もいいけど、三津浜、内子、卯之町など、歴史情緒ある町並みを駆け抜けるのも、愛媛県ならではのBRUNOの旅。
◆www.brunobike.jp

097

週末 西条トリップ／西条市　〝水の都〟西条市を巡る上で、本書以上に欠かせないフリーペーパー。地元を愛する職員さんによる可愛いディレクションは、観光案内所やギフトショップでよく見かけ、僕自身も手に取り西条市へ。石鎚山や西条まつり、てっぱんナポリタンに鉄道の聖地まで、読み応え〝旅応え〟も十分。お土産には、「うちぬき名水」で仕込まれた美味しい地酒があるなど、西条市には魅力がいっぱい。週末は、本書と共に、西条市を限定して旅するのもいいでしょう。
◆www.city.saijo.ehime.jp/soshiki/citypromo/pamphlet.html

106

内子晴れ／合同会社アソビ社　大洲街道の交通の要衝として、また四国遍路の通過地として栄えた町・内子町。国の重要伝統的建造物群保存地区にも選ばれ、その中でも一際目立つ形の暖簾。「内子晴れ」は、Iターン組の山内大輔さんたちによる、古民家ゲストハウス&バーで、内子町の若手を統括するコミュニティーにもなっていて、夜な夜な集まって会議をする地元の仲間たちの場に、たまたま遭遇したり、内子に寄る度にいつもお邪魔させていただきました。その特徴的な外観をモチーフに、一ページで登場。
◆uchikobare.jp

116

ムスタキビ／株式会社FLOWERS　テキスタイルデザイナー石本藤雄さんがプロデュースする「ムスタキビ」。ロープウェー街という松山の観光地にありながらも、異彩を放つ新進気鋭のギャラリーショップ&茶房。なんといっても店の奥に立ちはだかる松山城の石垣がインパクト大。砥部町出身の石本さんと、砥部の窯元「すこし屋」が生み出したモダンな砥部焼など、これからの愛媛にとって次の時代へ向けた重要な取り組みに感じます。和洋折衷でいて、唐草文様に負けないくらい、力強いデザイン。
◆www.mustakivi.jp

138

URBAN RESEARCH DOORS／株式会社アーバンリサーチ　「URBAN RESEARCH DOORS」とつくるシリーズ広告で、毎号、その取材県で出会った美しい女性をモデルに撮影する「In-Town Beauty」。今号は、砥部町出身のデザイナー石本藤雄氏プロデュースのモダン茶房「ムスタキビ」の店長・文梨英さんが登場。愛媛を代表する安藤忠雄建築のラグジュアリーホテル「瀬戸内リトリート青凪」を舞台に、爽やかなブルーのワンピースに身を包んだ優美な姿が、とても印象的でした。
・トップス（別注 flower print wide one-piece）24,200円
・シューズ（タッセルローファー）15,400円
◆www.urdoors.com

152

株式会社LACONIC　ディアンドデパートメントのオリジナルリングノートや、クリアファイルを作る「LACONIC」は、〝紙のまち〟四国中央市にある「片岡紙工」の自社ブランド。シンプルでどんな空間にも合う紙のプロダクト。僕は、紙の持つ独特の風合いが好きで、『d design travel』の旅でも愛用。特に、移動型収納ボックス「NOWHERE」は、軽くて丈夫で資料を持ち運ぶのに便利です。経年変化に伴い、愛着の出てくる紙製工業製品は、ロングライフデザインと言えるでしょう。
◆www.laconic.co.jp

193

株式会社地域法人 無茶々園　環境破壊を伴わず、健康で安全な食べ物の生産を通して、真のエコロジカルライフを求め、町づくりを目指す運動体――「無茶々園」。何も知らなかった彼らの活動に、取材を通して感銘を受けました。詳しくは本書でご紹介していますが、有機栽培がどれだけ大変なことか、栽培する柑橘の品種、水産業との兼業農家のことなど、一言では語れない壮大なストーリーがありました。モノトーンで、その奇跡のような園地を表現していただきました。
◆www.muchachaen.jp

Back Cover

Pタイルズ「デニムフロア」／田島ルーフィング株式会社　創業一九一九年の防水材・床材メーカーの「田島ルーフィング」と、広島県のデニム製造業「カイハラ」が共同開発した「デニムフロア」を、D&DEPARTMENT TOKYO（東京店）のエントランスで使い始めた二〇一八年四月。デニムジーンズのように、使うほどに出てくる味わいを、一年四か月後に撮影しました。エイジングされた床材を、東京店に来て、見て、踏んで、確かめてみてください。
◆www.tajima.jp

THE SHILLA

デザイナーのゆっくりをききたい

連載 44

ふつう

「真面目に美しいふつう」

深澤直人

「The Shilla Seoul」、韓国ソウルの最高級ホテル「シーラ」に泊まった時に思った。フロントの女性のスーツ姿が美しいと。やや黒と黄みを帯びた枯葉色（濃い赤褐色）をしていた。なぜか韓国の色だと思った。縦に長く、三角形に開いた細い襟の胸元の中には、白い襟なしのブラウスが見えた。そのブラウスの襟から下広がりに伸びた、繊細なギャザーのステッチがとてもきれいだった。きれいにきっちりと束ねられた髪の艶と、切れ長の目の面立ちがスーツに合っていた。ローヒールのパンプスの色も、スーツと同じでちょっと地味な謙虚さを感じた。タイトスカートが似合う国だとも思った。真面目に美しいふつうだった。

態度も美しかった。ぞんざいさは微塵もなく、謙虚でありながらプライドを感じた。笑わなかった。余計な笑みは、その凛とした態度を崩すと思った。礼を重んじる国の姿が現れていて安心した。そういえば、握手をする時とか物を渡す時に、相手に向かって差し出す手の袂を押さえる伝統的な習慣の仕草や、目上の人の前でお酒を飲む時に、体を横に向けて杯を隠して飲む礼儀も、ふつうになっているきれいな習慣だと思っていた。

Futsuu (Normal): Sincerely Beautiful Ordinary

When I was staying at The Shilla Seoul, one of South Korea's most luxurious hotels, I was struck by how beautiful the woman at the front desk looked in her suit. It was a deep reddish brown tinged with black and yellow, the color of fallen leaves. For some reason it felt like a uniquely Korean color. The collar was long and slender, with a triangular cut that exposed the white, collarless blouse underneath, with exquisitely stitched gathered ruffles spreading down from the neck. Her glossy, neatly tied hair and almond-shaped eyes complemented the suit nicely. Her low-heeled pumps were the same color as the suit, giving her a slight air of humility. And her sheer skirt seemed perfect for a Korean woman. It was a sincerely beautiful kind of normal.

The woman's attitude was equally beautiful: modest yet proud, without the slightest hint of brusqueness. She didn't smile; to do so unnaturally would have been undignified. Her look reassured me this was a country that values politeness. When you think about it, the polite mannerisms they use every day, like holding their sleeves back when shaking someone's hand, or hiding their glass when drinking alcohol in front of our social betters, have that same (→p. 150)

深澤 直人　プロダクトデザイナー。ヨーロッパ、アメリカ、アジアを代表するブランドのデザインや、国内の大手メーカーのコンサルティング等を多数手がける。2018年「イサム・ノグチ賞」など、国内外での受賞歴多数。著書に、『Naoto Fukasawa EMBODIMENT』(PHAIDON出版)など。2012年より、「日本民藝館」館長。

Naoto Fukasawa　Product designer. Fukasawa has designed products for major brands in Europe, America and Asia. He has also worked as a consultant for major domestic manufacturers. Winner of numerous awards given by domestic and international institutions, including 2018 Isamu Noguchi Award. He has written books, 'Naoto Fukasawa EMBODIMENT' (PHAIDON). Since 2012, he is the Director of Nihon Mingei-kan (The Japan Folk Crafts Museum).

人の行為や環境が、その土地や国を表す色に現れるから、至る所で見る建物に使われているガラスの水色に違和感を覚えていたが、シーラホテルのスーツの女性のスーツの色を見た時に安心した。白磁や李朝の家具の色、墨の色は韓国の風土から生まれた環境に調和したものだった。その状況や環境に調和したふつうの色を、見つけるのは易しくない。

同じ水色でも大韓航空の制服の色は、淡いベージュとの組み合わせがきれいだと思った。デザイナーは、ジャンフランコ・フェレだった。やはりタイトスカートがきれいだった。韓国の「KIA モータース」も、「アウディ TT」のデザイナーだったペーター・シュライヤーを起用して著しくデザインが美しくなった。

本来その国の美しさは、ふつうに国民が理解していなければならないと思うが、その極(ごく)ふつうなことが意外と理解されていないのが世界のお国柄事情かもしれない。

枯葉色の赤褐色のスーツを見て、美しい真面目さをなぜか感じた。こんなに美しいものがある国ならきっと、美の文化は、いずれもっと発展するだろうなという予感がした。

aspect of normal beauty to them.

Each region and country has its own iconic colors, and these colors can be seen in its people and their environment. I found the pale blue glass used in nearly every Korean building off-putting, but the color of the woman's suit at The Shilla put me at ease. The colors of white porcelain, of Joseon Dynasty furniture, of traditional ink: these are natural parts of Korean culture. And it's not easy to find normal colors in such harmony with their environment.

That same pale blue looks lovely when paired with pale beige in the Gianfranco Ferre-designed uniforms of Korean Air. The design of Korea's Kia Motors also benefitted immensely when they hired Audi TT designer Peter Schreyer.

You might expect people to have an understanding of what makes their country beautiful. The fact that something so normal is so poorly understood is, perhaps, a sign that it's part of the national character.

Somehow, that reddish-brown, leaf-colored suit evoked a kind of beautiful sincerity. Surely a country that produces such lovely things will take its culture of beauty to even greater heights in the future.

EINSTUFUNG

d47 MUSEUM ARCHIVE

“日本のものづくりの今”を知るデザインミュージアム「d47 MUSEUM」。ひとつのテーマを決めて、47都道府県からそれぞれ集めて展示。これまでの展示企画の中から今回は、2019年に開催した「NIPPONの47」シリーズの『47酒店』をアーカイブします。

47酒店

酒づくりから、その土地の文化を学ぶ展覧会。

会期　2019年7月26日(金)－9月2日(月)※会期中無休
開館時間　11:00－20:00(入場は19:30まで)
会場　d47 MUSEUM(渋谷ヒカリエ 8/) 入場無料
主催　D&DEPARTMENT PROJECT

d47 MUSEUM では2012年の開館以来、「旅」「クラフト作家」「これからの暮らしかた」「修理と手入れ」など、様々なテーマで47都道府県の個性を紹介してきました。25回目となる今回は「酒づくり」をテーマに開催しました。
日本の経済、文化を支えてきた酒づくり。日本酒やビール、ワイン、焼酎、ウイスキーなど、各地のつくり手たちは、その土地の素材、水、気候を活かし、脈々と受け継がれてきた技術に敬意を払いながら、若々しい感性と多様な思想で、個性ある酒を生み出しています。
47酒店では、その土地ならではの酒づくりはもちろん、地域での活動意識を持つ生産者を47都道府県から1社ずつ選び、ご紹介。
その土地の水、資源、環境、人と密接に結びつく47の酒づくりから、その味わいと共に、地域のリアルな問題や需要に向き合い、その土地の文化を育む活動を感じていただければと思います。

d47 MUSEUM 館長　黒江美穂

酒づくりと活動意識

本展では酒づくりを通して、地域へのどのような
活動意識を持っているかを6種類に分類してご紹介しています。

価値づくり誇りづくり
地域資源や技術に、価値と誇りを
生み出す酒づくり

資源を活かす環境を生かす
アップサイクルや環境に対して、
楽しく取り組む酒づくり

文化をつないで情報発信
地域の酒文化をつなぎつづける、
発信や提案する酒づくり

消費者と楽しむ新しい農業
農業と消費者との新たな接点
として、楽しむ酒づくり

地域と施設を元気に活かす
その土地を旅する理由をつくり、
活性化する酒づくり

仲間と呼べる関係性づくり
届けたい相手の顔が見える、
仲間を生み出す酒づくり

002

青森
AOMORI

もりやま園
青森県弘前市緑ケ丘1-10-4
0172-78-3395
moriyamaen.jp

摘果されるリンゴをシードルに。「捨てる作業」を「モノづくり」へ　青森県弘前（ひろさき）市で100年以上続くリンゴ園。通常、りんご農家は、果実の成長過程で9割の未成熟果実を摘み、残った1割の成熟果実を出荷している。「もりやま園」では、摘果作業で間引かれ、利用されてこなかった未成熟果を収穫・原料化することに取り組んだ。そのために、農作業を可視化させるクラウドアプリ「Ad@m」を自社開発。5年かけて集積したデータを基に、栽培管理手法を再構築した。こうして生まれた「TEKIKAKA（テキカカ） CIDRE」には、成熟果に比べはるかに多いリンゴポリフェノールが含まれる。甘さを抑え、渋みや酸味を際立たせた爽快な味わいは、料理との相性も良い。「ジャパン シードル アワード 2019」にて、大賞も受賞している。

001

北海道
HOKKAIDO

平川ワイナリー
北海道余市郡余市町沢町201
hirakawawinery.jp

Photo : Yuji Yamazaki (p.155–178)

栽培から醸造まで一貫したワインづくりで、北海道産ブドウの可能性を広げ続ける　醸造家の平川敦雄氏は、1995年に単身渡仏し、フランスの3つの国家資格を得て、農業から食卓までに関するあらゆるプロフェッショナルな技術、経験、知識を蓄積。果樹栽培に適した気候と豊かな土壌に魅せられて、北海道余市（よいち）で2015年に「平川ワイナリー」を創設。「最高のワインづくりは、ブドウが育つ自然環境や風景そのものを香りや味わいの中に映し出すこと」と考え、北海道産ブドウの魅力を引き出す。「栽培から味覚学までの一貫した理念と信念が必要で、料理と相乗できるワインは畑でデザインされるべき」と、畑が有する気候風土や生態系が、産地固有の味わいとして表れるワインづくりに取り組む。

003 岩手 IWATE

とおの屋 要
岩手県遠野市材木町2-14
0198-62-7557
tonoya-yo.com

国内のどぶろく特区第一期の地として農業・醸造・料理で文化を繋ぎ続けるつくり手　岩手県遠野市で最も古い老舗民宿「民宿とおの」の4代目である佐々木要太郎さんは、家業の民宿を継いだ後に、民宿の脇に小さな工房を設け、どぶろくの醸造を開始した。材料に使う酒米「遠野1号」も無農薬・無肥料で自ら作っている。2010年に始めたオーベルジュ「とおの屋 要」では、オーナーシェフとして、岩手の食材を活かしたユニークな料理を手がける。農家として、日本の農業が抱える問題にも注目し、「どぶろく農家プロジェクト」を発足。全国にどぶろくづくりを伝え、日本の米の価値を見直す活動にも取り組む。どぶろくの文化はもちろん、根底にあるその土地の米の素晴らしさも発信している。

004 宮城 MIYAGI

一ノ蔵
宮城県大崎市松山千石字大欅14
0229-55-3322
ichinokura.co.jp

地域農業と共に歩みながら安心安全な美味しさに取り組み続ける　宮城県内の酒蔵4社「浅見商店」「勝来酒造」「櫻井酒造店」「松本酒造店」がひとつになり、1973年に「一ノ蔵」が誕生。「美味しさの基本に安全と安心があるのはあたりまえのこと」と考え、「良い食品づくりの会」に加盟。安心安全、健康と美味しさを求め、会が定める厳しい品質基準に則った商品開発を進める。使用する原料米の9割以上が宮城県産米で、有機栽培や環境保全型農法のお米を積極的に使用。「農業を中心とした新しい蔵元の形」をモットーに、一ノ蔵の農業部門「一ノ蔵農社」では、主に酒米栽培および休耕田活用を通し、栽培技術の蓄積と地元農家への情報提供を行なうなど、地域の農業と共に歩む。

006

山形

YAMAGATA

熊谷太郎
山形県山形市平清水210
023-666-8977
www.lajomon.com

東北の酒づくりが成長する中で、つくり手であり伝え手として発信する　酒づくりの蔵人だった熊谷太郎さんは、2008年より「平清水焼七右エ門窯」の敷地内で「正酒屋　六根浄」として、新たに酒づくりをスタート。「自分がつくるうまい酒をお客様に手渡しで届けたい」という思いから、冬は蔵人、春から秋にかけて小売店を経営する独特のスタイルを展開。現在は店名を「La Jomon」に変え、「6号酵母」にこだわった日本酒づくりをメインに、その酵母を活かしたワインや貴醸酒のプロデュースなど、日本酒にとらわれない商品開発なども行なっている。また、さまざまな蔵元が集まる「全国6号酵母サミット」も主宰。つくり手であり、伝え手として日本酒の文化をさまざまな角度から発信し続けている。

005

秋田

AKITA

福禄寿酒造
秋田県南秋田郡五城目町字下夕町48
018-852-4130
www.fukurokuju.jp

毎年違う味を楽しませる工夫をつくり、農家と蔵が切磋琢磨する関係性をつくる　1688年に秋田県五城目町で創業。16代目蔵元の渡邉康衛さんは機械による普通酒づくりが中心だった蔵に手作業を取り入れるなど、本来の酒づくりのあり方を模索し、ハイテクとローテクを使い分け、代表銘柄「一白水成」を誕生させた。「五城目町酒米研究会」として農家とチームを組み、勉強会や見学会なども積極的に行なっている。また、その年で最も優れた酒米だけで醸す「一白水成premium」を売り出すなど、蔵と農家がお互いに切磋琢磨した努力の結果を、美味しい酒づくりとして発信している。秋田を代表する5つの蔵が、酒づくりの革新を目指すプロジェクト「NEXT5」としても活動する。

008 茨城 IBARAKI

PARADISE BEER
茨城県鹿嶋市宮中1-5-1
0299-77-8745
www.tenshin.museum.ibk.ed.jp/

原材料づくりからはじめる農家直営マクロブルワリー
2008年に設立した農園「鹿嶋パラダイス」。茨城県初の農家直営クラフトビール店として、ブルワリーとカフェを運営。畑に肥料も堆肥も農薬も使用しない「自然栽培」の野菜づくりに励む。原材料の生産から加工・販売、そしてそれを口にするまでの工程を「総合飲食体験」と銘打って取り組んでいる。「この世にパラダイスをつくること、関わる人の人生をパラダイスにすること」を使命に、ビールをはじめ、食に関わるイベントも多く開催。野菜づくり同様、なるべく自然な状態でのビールづくりを目指し、自然栽培ビール麦をつくることからはじめ、酵母濾過や機械的なCO^2封入もせず、酵母が排出する天然の炭酸を利用しながら自然の力で醸している。

007 福島 FUKUSHIMA

仁井田本家
福島県郡山市田村町金沢字高屋敷139
0120-552-313
1711.jp

「日本の田んぼを守る酒蔵」として環境と人を大切にする100パーセント自然米の酒　福島県郡山市田村町にて1711年に創業。2011年の創業300年を機に、日本で初の100パーセント自然米使用の酒蔵となる。2013年からは「醸造用乳酸」の使用をやめ、自然派酒母100パーセントの酒づくりとなり、2014年からは、瓶詰め前におりとなる成分の沈降を促す操作「おり下げ」も廃止。2015年からは「酵母無添加仕込み」を開始するなど、蔵の微生物による力強い発酵力を活かした、自然米と天然水だけを原料とする、より自然な酒づくりを行なう。「日本の田んぼを守る酒蔵になる」をモットーに、1年を通して「田植え」「手入れ」「稲刈り」の体験ができる「田んぼのがっこう」も実施。

010

群馬
GUNMA

永井酒造
群馬県利根郡川場村門前713
0278-52-2311
www.nagai-sake.co.jp

仕込み水のために森林を所有。村の自然や文化を酒づくりで表現する　1886年に群馬県川場村で創業。仕込み水の確保のために利根川の源流域に森林を所有し、村の自然や文化を表現することを酒づくりの基本に据えている。世界に通用する日本酒をつくりたいという思いから、2008年にはフランス、シャンパーニュ地方の伝統的なワインの製法を取り入れた「MIZUBASHO PURE」を発売。また、従来の固定観念にとらわれず、その発泡清酒の「MIZUBASHO PURE」と、純米大吟醸酒の「水芭蕉」、熟成酒の「水芭蕉 VINTAGE」、そして「DESSERT SAKE」という4種類の酒を、それぞれ前菜、魚料理、肉料理、デザートに合わせて楽しめるようにと、日本酒のフルコースのような「NAGAI STYLE」として提案している。

009

栃木
TOCHIGI

那須高原ビール
栃木県那須郡那須町高久甲3986-44
0287-62-8958
www.nasukohgenbeer.co.jp

那須の自然と水から生まれるビールで、地域の四季の楽しみや味わいを生み出す　1996年創業の「那須高原ビール」は、地元家具屋の3代目である小山田孝司さんが、地に湧き出す良質な軟水と出合ったことから始まった。那須連山の豊かな森と清らかな雪解け水に恵まれた環境で、麦芽100パーセント、成分無濾過のビールを醸造している。併設するレストランでは緑に囲まれた美しい景色とともに、地元の食材をふんだんに使ったこだわりの料理と、出来たてのビールを味わうことができる。さらに、大麦麦芽や酵母、ホップなど、素材の全てを地元産で賄う自給自足の生産体制を目指している。ロゴマークやラベルのデザインを代表自ら手がけるなど、オリジナリティーと創作意欲に溢れたブルワリー。

012 千葉 CHIBA

mitosaya薬草園蒸留所
千葉県夷隅郡大多喜町大多喜486
0470-64-6041
mitosaya.com

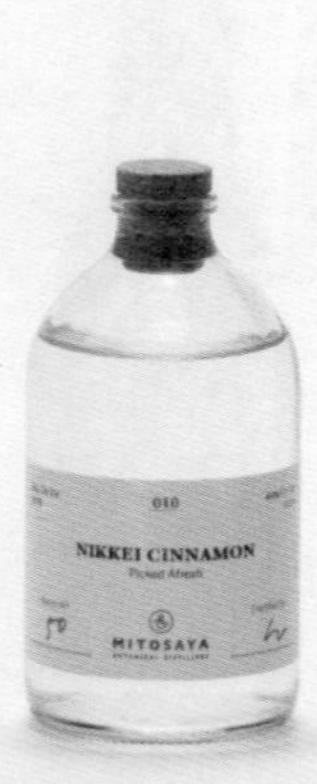

閉園した薬草園を蒸留所へ。蒸溜酒の新たな楽しみ方を創造する　房総半島のほぼ中央に位置し、緑豊かな大多喜町。1987年より、生薬標本の展示などをしてきた薬草園が2015年に閉園。2017年、その土地をフランス語で「命の水」を意味する、果物や植物を原料にした蒸溜酒、オー・ドー・ヴィーをつくる場として引き継いだのが「mitosaya 薬草園蒸留所」だ。敷地内で30年以上かけて栽培されている約500種類の植物の中から、香りや味を基準に蒸溜酒の原料として最適な原料を選定するほか、野生種や市場外の果物なども積極的に使用している。果実だけでなく、葉や根や種、そして莢までをも使用した、芳香高く味わい深い酒づくりからは、「自然からの小さな発見を形にする」意思がある。

011 埼玉 SAITAMA

秩父蒸溜所
埼玉県秩父市みどりが丘49
0494-62-4601
www.facebook.com/ChichibuDistillery/

世界に認められる実績を積み上げ、地元の気候風土を誇りとして感じさせる　「秩父蒸溜所」の創業者・肥土伊知郎氏は、父が経営していた会社が営業譲渡された際、廃棄される予定だったウイスキーを自ら買い取り、福島の酒蔵に預け、再度ウイスキーづくりに取り組んだ。2008年には市街地から車で30分ほどの丘に「秩父蒸溜所」を作った。彼の名前から付けられた「イチローズモルト」は、世界的なアワードでも長年にわたり賞を取り続け、日本を代表する銘柄の一つ。ジャパニーズウイスキーの誇りを持ち、小さなミル、マッシュタン、ミズナラ製の発酵槽、本場スコットランドから直輸入した蒸溜器のポットスチルなど、ハンドクラフトにこだわる伝統的な製法を使用しつつ、革新的な挑戦をし続けている。

014

神奈川
KANAGAWA

瀬戸酒造店
神奈川県足柄上郡開成町金井島17
0465-82-0055
setosyuzo.ashigarigo.com

38年ぶりの酒蔵の復活。町へ訪れるきっかけをつくる　神奈川県開生町にて慶応元年に創業した「瀬戸酒造店」。1980年以降は自家醸造を取りやめていたが、2018年に酒蔵を一新、38年ぶりに蔵での酒づくりを再開した。開成町の美しい田園風景から生まれる酒は、丹沢山水系の深層地下水を仕込み水に使用。足柄平野の米、蔵から採取した酵母を使った「酒田錦」、地元名物の紫陽花から抽出した酵母を使う「あしがり郷」のほか、「月が綺麗ですね」や「かくかくしかじか」「風が吹いたら」「手の鳴る方へ」など、ユニークなネーミングの銘柄も。酒づくりと連携して発酵に関するイベントや、「あしがり郷 瀬戸屋敷」でのコンサートなども開催し、さまざまな人が訪れるきっかけをつくっている。

013

東京
TOKYO

東京港醸造
東京都港区芝4-7-10
03-3451-2626
tokyoportbrewery.wkmty.com

麹づくりから瓶詰めまでの全てをビルで。酒づくりから「東京らしさ」を表現する　1812年から100年続いた造り酒屋「若松屋」。酒税法の改正や後継者問題などにより1911年に廃業するが、100年の時を超えてその跡地に蘇ったのが、東京都港区にある「東京港醸造」だ。「障りなく飲め、味わいのある酒」をモットーに、これまでの酒づくりの観点からは新しい試みともいえる、都心での酒造として開業。麹づくりから瓶詰めまでの全ての工程をコンクリート4階建てのビル内で行ない、都心の環境を活かした酒づくりに挑戦している。平日の夜にはキッチンカーを利用し、他社のお酒も交えて気軽に日本酒が楽しめるイベントを開催するなど、新たな東京らしさを持っている。

016
富山
TOYAMA

成政酒造
富山県南砺市館418
0763-52-0204
www.narimasa.co.jp

日本初の基金による酒づくりで技術とコミュニティーを育てる　富山県南砺市に1894年に創業。全国でも有数の酒造好適米の産地で、高品位な酒造米「五百万石」、「雄山錦」を栽培から行い、米・米麹、そして富山と石川の県境にある「医王山」からの良質な水が酒づくりを支える。成政は日本で初めて基金による酒づくりに着手した蔵元でもあり、現在でも約700名に及ぶ会員からなる「成政トラスト吟醸の会」が、より良い酒づくりを応援している。より良い酒をつくりたい蔵人と、極上の酒を口にしたい愛好家の双方のニーズが嚙み合った、ユニークな取り組みで、会員には年3回、純米大吟醸酒が配られる。酒を介した会員同士の交流も楽しく、春は生、夏は生貯、秋は生詰が味わえる。

015
新潟
NIIGATA

カーブドッチワイナリー
新潟県新潟市西蒲区角田浜1661
0256-77-2288
www.docci.com

新潟を日本ワインの銘醸地へと押し上げた。学びの場をつくり出すワイナリー　新潟県新潟市西蒲区に1992年設立。日本海が目前に広がる海岸地帯に位置し、夏は暑く、雨が少ない上に海と砂地に囲まれたことで水はけが良いという環境が、フランスのボルドー地方の気候に似ており、ワイン生産地に適している。欧米では一般的な「自家栽培の葡萄だけで全て自家醸造のワインをつくる」というスタイルを採用し、「地元の風土を表した唯一のワイン」を目指している。醸造家・掛川史人さんは「ワイナリー経営塾」の主宰も務め、そこで学んだ若手によるワイナリーも多く誕生。施設内にはレストランや宿泊施設、結婚式場もあり、ワインを中心に「直接来て、楽しむ体験」を提供している。

018

福井
FUKUI

田嶋酒造
福井県福井市桃園1-3-10
0776-36-3385
fukuchitose.com

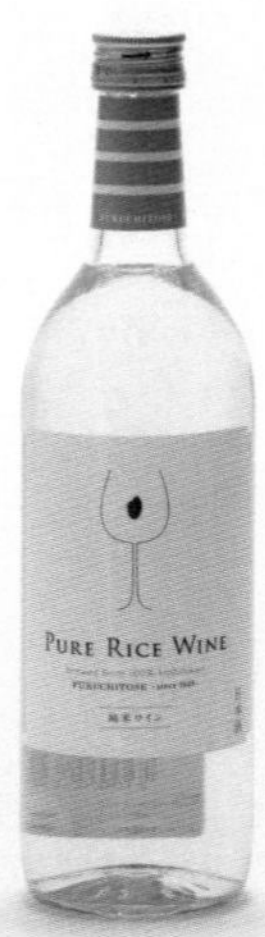

日本酒の美味しさ・楽しみ方をわかりやすく提案　江戸時代後期に創業。1976年頃までは全量山廃仕込みで、現在でも無添加で乳酸をつくる山廃仕込みにこだわり、手間を惜しまない。麹室には全面杉板を採用し、理想の麹づくりに励む。ワインボトルシリーズの一つ「PURE RICE WINE」は、杜氏の田嶋雄二郎さんが東京農大在学中に研究を始め、26回に及ぶ試作を重ねて完成したもの。お米にコシヒカリを使い、ワイン酵母で醸す。精米歩合を飯米とほぼ同じ9割にすることで、地元福井発祥のコシヒカリの魅力を伝える。その他にも「天然吟香酵母さくら」を使った「SAKURA ROCK」や、「農大酵母」を使った「THE CUVÉE ／ NY」など、日本酒の楽しみ方をわかりやすく提案している。

017

石川
ISHIKAWA

数馬酒造
石川県鳳珠郡能登町字宇出津へ36
0768-62-1200
chikuha.co.jp

耕作放棄地の開墾から醤油づくりの復活まで。次世代に繋ぐ地域の環境・産業に取り組む　能登最古の醤油蔵としての歴史を持つ「数馬酒造」は、1869年から清酒の製造・販売を開始。「圧倒的に、正しいことをする」をコンセプトに、能登に育つ米や水を利用するのはもちろん、酒づくりを通じて地元企業との連携や地域の課題解決などにも尽力する。耕作放棄地を開墾し「水田作りからの酒づくり」に取り組みつつ、米の栽培に適さない耕作放棄地では大豆と小麦を栽培。廃園となった保育園を醤油蔵として再活用し、仕込み水を利用した醤油づくりも行なう。2018年には、経済産業省より「地域未来牽引企業」に選定、世界農業遺産に認定されている能登の地で、地域と歩みながら活動を続けている。

GENOME REAL STORE

020

長野
NAGANO

サノバスミス
長野県大町市常盤4748-1
0261-22-2911
hardcider.jp

ニューカルチャーと創造性から。ハードサイダーで伝える農業の面白さ　長野県で長年に渡り続く老舗農家「小澤果樹園」と「宮嶋林檎園」が共同して始まったプロジェクト。アメリカのオレゴン州ポートランドで林檎の発泡酒「ハードサイダー」を学び、「Son of THE SMITH サノバスミス」が誕生。近年アメリカで発展しているハードサイダーの生産技術を日本流にアレンジしている。メンバーがコンセプト設計から原材料生産、醸造、製品化まで携わり、2017年に完成、発表後すぐに全1000本が完売した。当初から人気を博したのは、商品をつくるだけでなく、ハードサイダーを通してその文化や創造性、農業の面白さを発信しているからこそ。農業の魅力や、地域の文化発信に繋がっている。

019

山梨
YAMANASHI

キザンワイン
山梨県甲州市塩山三日市場3313
0553-33-3024（機山洋酒工業）
kizan.co.jp

広げ過ぎない意識から生まれる国産テーブルワインの代表格
1930年に日本ワイン発祥の地・甲州で創業。葡萄の栽培から製造・販売までを、ほぼ家族のみで行なうブティックワイナリー。ワインの種類を増やすのではなく、葡萄の品種、栽培、生産方法、流通を広げ過ぎないといった無理のない生産体制を保ち、地域に根ざし、自然の恵みを最大限に活かしたワインづくりを行なう。「日常の中で楽しめる、品質の高いワインをつくる」をテーマに、1000円台から良質なワインが飲める手軽さを実現している。「キザンワイン白」は味噌や醤油を使った和食と、「キザンワイン赤」は醤油味の中華との相性も良い。多様化した食文化に溶け込む“日常のワイン”として愛され続けている。

022
静岡
SHIZUOKA

ベアードビール
静岡県伊豆市大平1052-1
0558-73-1199
bairdbeer.com/ja/

素材の良さを引き出すビールで、地元の憩いの場を生み出す　「ビールを祝福する」をモットーに、静岡県沼津に2000年に設立。モルトやホップ、酵母などの原材料をできるだけ加工せず、それぞれの素材の良さを最大限に引き出すことにこだわり、高品質で多彩なビールを製造している。地元静岡の自然や農耕を大切にし、2014年には「自然に帰ろう」という考えを元に伊豆へ移転、新たな農園型醸造所も始める。短絡的に規模を大きくすることなく、目の届く範囲で丁寧に製造されたビールは、日本だけでなく海外への輸出も年々増加。2000年にオープンしたタップルーム「沼津フィッシュマーケット」は、大きく見晴らしのいい窓から魚市場が望め、旅行者から地元住人まで、気軽に立ち寄れる場所。

021
岐阜
GIFU

達磨正宗(白木恒助商店)
岐阜県岐阜市門屋門61
058-229-1008
www.daruma-masamune.co.jp

時間がつくる酒の個性。古酒で広がる日本酒の楽しみ　江戸時代創業の「達磨正宗」(白木恒助商店)が、古酒づくりに取り組み始めたのは1970年代から。大手酒蔵による安価な日本酒が各地に出回り、他社との差別化を図るために6代目の白木善次氏が「古酒で勝負しよう」と考えたことから始まった。古酒は貴重な酒として鎌倉時代から江戸時代まで珍重され、神仏にも捧げられた神聖な酒だったが、明治から昭和の戦中にかけて次第に消え、戦後の酒税制度改正とともに、少しずつ復活してきた。岐阜県美濃地方は清冽な水が豊富な地域。「達磨正宗」は長良川の支流、武儀川の伏流水を使ってつくる。硬度が低く、酒づくりに適した軟水を使い仕込んだ酒は、濃いめでコクのあるまろやかな味わいが特徴。

024
三重
MIE

伊勢角屋麦酒
三重県伊勢市下野町564-17
0596-63-6515
biyagura.jp/ec/

世界に認められる実力派。伊勢の気候風土をビールを通して伝える　1575年、伊勢神宮へ通じる舟着場で茶屋として創業。その後、醬油や味噌の製造を経て、1997年にビール醸造を開始。「伊勢から世界へ」を合言葉に、古来から受け継いだ醸造技術を生かしつくられた、高品質でバランスよい味わいのクラフトビールは、国内外にファンを集める。コスモスやローズなど、植物からも酵母を抽出、培養し、常時10種類以上のクラフトビールを製造。海外の大会でも賞を多数獲得している。2018年には東京に旗艦店として「伊勢角屋麦酒 八重洲店」をオープン。クラフトビールのほか、100年前から木樽でつくり続ける醬油や味噌を使った和食を提供するなど、伊勢の食文化も発信している。

023
愛知
AICHI

澤田酒造
愛知県常滑市古場町4-10
0569-35-4003
hakurou.com

「昔の良さ」に徹底的に取り組む、忘れたくない地酒の姿　1848年に愛知県知多半島常滑に創業。「昔から良いと言われたこと、良いと言われた道具を守り伝えながら、基本に忠実な酒づくり」をモットーに、昔ながらの伝統製法を守った酒づくりを行なっている。仕込みには地元の湧き水を使い、愛知県産の地元米を中心に酒づくりをしている。また、今では金属製が主流となった酒米を蒸す「甑(こしき)」にも、昔ながらの木製のものを使用。麹(こうじ)蓋を使い少量ずつながらも質の高い麹を製造するなど徹底している。「赤味噌」や「たまり醬油」の食文化の地酒として、料理を引き立てる食に寄り添った酒づくりを心がけている。そのほか、酒蔵開放などのイベントを通し、積極的な情報発信も精力的に行なっている。

025
滋賀
SHIGA

ヒトミワイナリー
滋賀県東近江市山上町2083
0748-27-1707
www.nigoriwine.jp

「にごり」で葡萄の個性を発信。「農」と「食」をワインで繋ぐ

琵琶湖の南、紅葉で有名な滋賀県東近江市は、四季それぞれに豊かな自然が楽しめる美しい場所として知られている。ここに「にごりワイン」の専門メーカー「ヒトミワイナリー」がある。創設者で、大のワイン好きだった図師禮三氏は、1984年、60歳を機に「独自のワインづくりをしたい」と、ゼロから自社農園の葡萄畑やワイナリーまでつくった。3年間の試験醸造期間を終え、1991年にヒトミワイナリーが正式にオープンした。無濾過で瓶詰めされた「にごりワイン」は、つくり手が素直に美味しいと感じた状態を商品化したもの。柔らかくフルーティーな味わいの「にごりワイン」を通し、国産葡萄の個性を引き出している。

026
京都
KYOTO

木下酒造
京都府京丹後市久美浜町甲山1512
0772-82-0071
www.sake-tamagawa.com

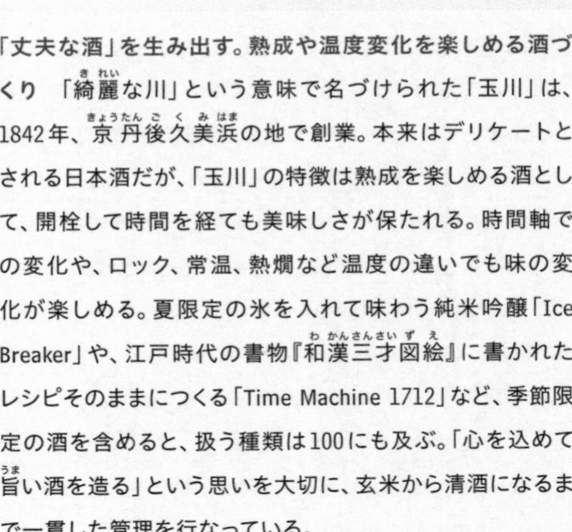

「丈夫な酒」を生み出す。熟成や温度変化を楽しめる酒づくり

「綺麗な川」という意味で名づけられた「玉川」は、1842年、京丹後久美浜の地で創業。本来はデリケートとされる日本酒だが、「玉川」の特徴は熟成を楽しめる酒として、開栓して時間を経ても美味しさが保たれる。時間軸での変化や、ロック、常温、熱燗など温度の違いでも味の変化が楽しめる。夏限定の氷を入れて味わう純米吟醸「Ice Breaker」や、江戸時代の書物『和漢三才図絵』に書かれたレシピそのままにつくる「Time Machine 1712」など、季節限定の酒を含めると、扱う種類は100にも及ぶ。「心を込めて旨い酒を造る」という思いを大切に、玄米から清酒になるまで一貫した管理を行なっている。

028

兵庫 HYOGO

小西酒造
兵庫県伊丹市東有岡2-13
072-775-0524
www.konishi.co.jp

日本屈指の酒どころでオリジナルな進化を遂げる先駆者

1550年に兵庫県伊丹市で、濁酒づくりを開始。「誰も歩いていない道を行く」をコンセプトに、清酒や焼酎、リキュールに加え、酒粕を活用した「白雪奈良漬」の商品展開も行なっている。小西酒造がつくる「スノーブロンシュ」は、小麦を原料としたベルギータイプの上面発酵ビール。コリアンダーとオレンジピールの爽やかな酸味と香りが楽しめる。また、「小西酒造」は日本でいち早くベルギービールの輸入を開始した企業で、現在でもベルギーの代表的な醸造所と契約。1995年には「白雪ブルワリービレッジ長寿蔵」をオープン。料理が楽しめるほか、同館内の「ブルワリーミュージアム」では、日本酒とビールづくりに関する資料などを展示している。

027

大阪 OSAKA

カタシモワイナリー
大阪府柏原市太平寺2-9-14
072-971-6334
www.kashiwara-wine.com

耕作放棄を葡萄畑に。ワインを通して風景と文化を取り戻す

古くから葡萄の一大産地だった大阪府柏原で1914年に創業。安価で大量生産のできるワインに押される形で、一時は農園を完全に廃業する可能性もあったが、4代目社長に高井利洋氏が就任し、耕作放棄地であった600坪の雑木林を元の姿に戻すことから再開。松竹中座で上演された『河内ワイン』に因んで「河内ワイン」を製造し、地域ブランドの確立や、伝統と革新に満ちた製造に取り組んでいる。2001年には蒸留酒のグラッパを製造。2006年からは農園の全てが大阪府エコ農産園場に認定された。また、2012年には「大阪ワイナリー協会」の設立にも関わるなど、地元柏原のコミュニティーを生かした発信活動も行なっている。

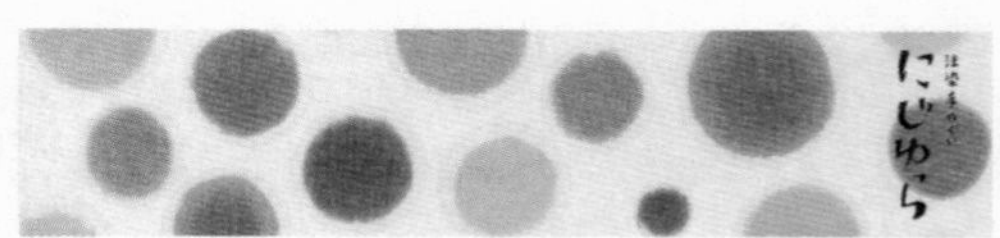

030
和歌山
WAKAYAMA

九重雑賀
和歌山県紀の川市桃山町元142-1
0736-66-3160
www.kokonoesaika.co.jp

酢と酒、そこから地域の食文化も発信する

「九重雑賀(ここのえさいか)」は食酢と日本酒の両方を手がける日本でも大変珍しい蔵元。1908年に食酢の醸造元として創業。発酵の産物である食酢や日本酒に共通する良質な酸づくりに力を注いでいる。創業者の雑賀豊吉氏は「より良い食酢をつくるには、主原材料である酒粕(さけかす)から一貫して製造するべき」と考え、食事に合う日本酒をつくりたいという夢から、1934年に日本酒の製造を開始した。すし文化発祥の地として、和歌山は今でも日本有数の食酢消費圏。その要望に応え続ける高品質な食酢醸造を目指すとともに、すしや酢の物など、和食との相性が良い日本酒をつくり続けている。また、日本酒仕込みの梅酒や瓶内発酵させたスパークリングなども手がけている。

029
奈良
NARA

美吉野醸造
奈良県吉野郡吉野町六田1238-1
0746-32-3639
www.hanatomoe.com

吉野の風土から生まれる地域の食文化から考える酒づくり

紀伊半島の中心・吉野川に臨む六田(むた)に1912年に創業。酵母無添加により「米の旨味(うまみ)が伝わる酒」を醸す。代表銘柄の清酒「花巴(はなともえ)」は「吉野の風土に寄り添い、人の心に伝わり、感銘を与え、腑(ふ)に落ちる酒の味を、現代の蔵にある菌だけでつくる酒」として、昔から伝わる製法を現在の蔵に蘇(よみがえ)らせた。奈良吉野のある紀伊半島は、山深い立地であることから、昔から保存食文化が根づいている地域。漬物や味噌、醤油のように塩漬けを行なわないと腐ってしまうぐらい、自然と発酵が進む多湿な山林地帯。その吉野の発酵・保存食文化と共にある酒づくりとは何かを考え、発酵により生成する酸を抑制するのではなく、酸を解放する酒づくりにたどり着いた。

031

鳥取

TOTTORI

梅津酒造
鳥取県東伯郡北栄町大谷1350
0858-37-2008
umetsu-sake.jp

生酛に立ち返りながら地元独自の素材を活かした酒づくり

1865年に、鳥取県中部（当時の伯耆の国）で創業。現在は日本酒や焼酎、梅酒を製造・販売している。創業時から伝承されてきた製法で、全ての行程を手づくりするなど手間を惜しまない。2005年の仕込みからは、全ての日本酒の原料を米と米麹だけに変えた。また、鳥取県湯梨浜町で独自に栽培されている「野花梅」を利用した梅酒「野花」は、芳醇な香りと濃厚な梅の酸味が特徴。完熟すると直径5センチ以上にもなる梅を、独自に製造した専用の日本酒に漬け込み、2年以上熟成することで独特な味わいとなる。酒蔵と地元住民が共に米づくりからお酒の仕込みまでを行なう「ジゲ酒の会」の結成など、地域に根づいた酒蔵としても活動している。

032

島根

SHIMANE

石見麦酒
島根県江津市嘉久志町イ405
0855-25-5740
www.iwami-bakushu.com

醸造方法をオープンに。地元の農家と共にブルワリーを地域に根づかせる

「石見麦酒」は2014年、島根県江津市で行なわれたビジネスコンテストで、大賞を受賞したことを機に始まった。「島根県江津の町にマイクロブルワリーをつくり、クラフトビールで地域を元気にする」というコンセプトで、山口厳雄さんと、梓さん夫妻が設立。熟成の工程で銅やステンレスの釜の代わりにビニール袋を利用したり、小ロットで精米するなどの工夫で、わずか9坪の敷地で数種類のバラエティーに富んだ醸造を行なう。江の川の恵みをいっぱいに受けた大麦や、日本海の潮風に耐えた柚子などの地域の農産物を活かす。作業方法を広くオープンにすることで「第2第3のクラフトビール仲間をつくりたい」と活動している。

034
広島
HIROSHIMA

入江豊三郎本店
広島県福山市鞆町鞆534
084-982-2013
www.iriehonten.jp

「保命酒」をつくり続け、これからも人々の隣にある酒文化を守る　保命酒は、広島県福山市で江戸時代に漢方医の子息であった中村吉兵衛が、酒と薬味で保命酒を製造販売したことが起源。保命酒は清酒とは異なり、原料はもち米、麹米とアルコール分40パーセントの焼酎だ。麹から出る酵素により、もち米が糖化され、保命酒の原酒となる。この原酒を調合し、砂糖や人工甘味料を一切使わず、その中に高麗人参、菊花、黄精、桂皮、枸杞子、甘草、丁子など16種類の薬味を漬けた後、濾過してつくられる。薬味成分が溶け込んだ酒は、嗜好品としても珍重される。「入江豊三郎本店」では、約200年前に建てられた仕込み蔵を利用し「保命酒」や本味醂をつくり、その歴史を伝える展示も行なっている。

033
岡山
OKAYAMA

domaine tetta
岡山県新見市哲多町矢戸3136
0867-96-3658
tetta.jp

地元の風土と産業を活かし、過ごす時間も提供できるワイナリー　「晴れの国・岡山」といわれる岡山県北西部の新見市は、長い日照時間と寒暖差、石灰質の土壌が特徴。創業者の高橋竜太氏は、荒れ果てた葡萄畑の再生に取り組み、この類い稀な地を活かすにはワインだと確信して「tetta」を設立した。標高400メートルの小高い山の頂上に広がる畑で、葡萄の栽培にチャレンジし、最良のワインづくりに日々励んでいる。自社栽培の葡萄のみを使ったワインは、葡萄本来の可能性を引き出した自然な発酵でつくられる。また、ワイナリーに併設しているカフェでは、広大な葡萄畑が一望できるロケーション。美しい景色を眺めながら「tetta」ワインと地元の食材をふんだんに使用した料理が楽しめる。

036

徳島 TOKUSHIMA

RISE & WIN Brewing Co.
BBQ & General Store
徳島県勝浦郡上勝町正木平間237-2
0885-45-0688(BBQ & General Store)
www.kamikatz.jp/ja/toppage.html

材料から販売方法まで、ゼロ・ウェイストの楽しい表現
ごみゼロを目指す徳島県上勝町(かみかつちょう)の「ゼロ・ウェイスト」を、楽しく理解してもらう場所として誕生したブリュワリー。廃材を使った建物や、ゴミを出さない量り売り、オリジナルビールや本格バーベキュー料理などが楽しめる。アメリカより技術顧問を迎え、美味いビールづくりを追求しつつも、「楽しくゼロ・ウェイスト」をコンセプトに、果汁をしぼったあとの柚香(ゆこう)の皮や、規格外品の鳴門金時芋、パンの耳などを再利用してフードロスにチャレンジするなど、美味しくてユニークなクラフトビールをつくっている。そのほかにも、ウィスキーやジンの古樽で熟成させるバレルエイジドビールや、新しいスタイルのビールにもチャレンジし続けている。

035

山口 YAMAGUCHI

大嶺酒造
山口県美祢市秋芳町別府2585-2
0837-64-0700
www.ohmine.jp

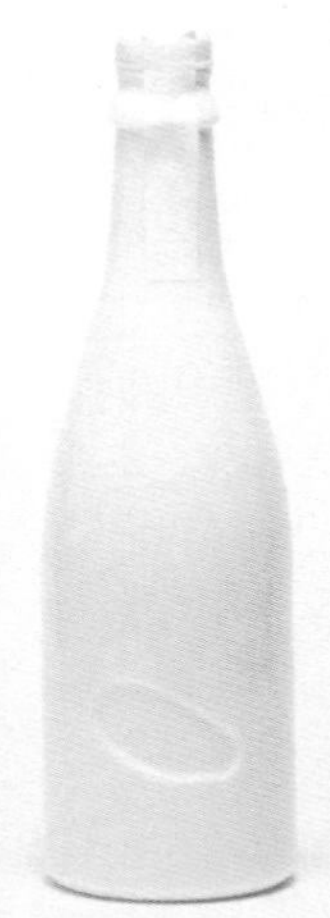

地元の米と水を最大限に活かす。世界に発信する酒づくりが町の誇りをつくる　1822年から1955年まで酒づくりをしていた大嶺酒造は、2010年に50年の休眠を経て再び酒づくりを復活した。「Try new things, Find new innovations.」をコンセプトに、古典レシピを活用しながら、固定概念にとらわれない斬新な酒づくりを行なう。アルコール度数を低めの14度に設定し、うま味のバランスを整えることで、食事とのマリアージュを楽しめる繊細な味に仕上げた。また、ラベルにはシンプルにお米のフォルムだけをデザイン。純米大吟醸は1粒、純米吟醸は2粒、純米酒は3粒と、文字ではなく視覚で捉えるデザインは海外の人にもわかりやすい。また、イラストレーターとコラボレーションした限定商品なども販売している。

039

高知

KOCHI

司牡丹酒造
高知県高岡郡佐川町甲1299
0889-22-1211
www.tsukasabotan.co.jp

創業四百余年、偉人たちも愛飲した土佐伝統の辛口を醸し続ける　1603年(慶長8年)、山内一豊に伴い土佐に入国した首席家老、深尾重良のお抱えの酒屋として創業。1918年(大正7年)に株式会社となった。酒名である「司牡丹」は、佐川出身の維新の志士で、明治新政府の宮内大臣も務めた田中光顕が命名したもの。「牡丹は百花の王、さらに牡丹の中の司たるべし」という意味が込められている。その長い歴史の中で、坂本龍馬とも深い縁があり、幾多の偉人たちにも愛飲された歴史を持つ。農法指導(永田農法)まで行ない高品質な酒米を確保し、伝統の技と最新醸造設備を融合させ、食材の美味しさを下から押し上げる辛口の酒を、飲み手の人生を豊かにするために醸し続けている。

037

香川

KAGAWA

綾菊酒造
香川県綾歌郡綾川町山田下3393-1
087-878-2222
www.ayakiku.com

創業当時の姿勢を守り抜きながら新たなデザインも取り入れる　「綾菊酒造」の創業は寛政2年(1790年)。創業当時の姿勢を守り、地元の香川県産米や、豊富な伏流水にも恵まれた昔ながらの自然が守る水を仕込み水に使っている。これら地元の米と水を天の恵みと考え、地元の人たちと五穀豊穣を祈り、喜びを分かち合いながら酒づくりに励んでいる。杜氏は現代の名工にも選ばれた名誉杜氏・国重弘明氏の愛弟子の宮家秀一氏。讃岐の豊かな風土と文化をしっかり携え、伝統の技術を継承している。「かりん酒」300ミリリットルのラベルは、「瀬戸内国際芸術祭」のリデザインプロジェクトにて、デザイナーのケイモトシュンスケ氏がデザインしたもの。地元・香川県のかりん果実を100パーセント使用している。

038
愛媛
EHIME

千代の亀酒造
愛媛県喜多郡内子町平岡甲1294-1
0893-44-2201
www.chiyonokame.com

地場産業としてみんなで守る地域と繋(つな)がる酒づくり　1716年に創業。消費者の日本酒離れに伴い廃業へと進んでいた1995年、「地域の地場産業を残さなければいけない」との声から、地元で土木建設業を営む久保興業が支援。現在、「千代の亀酒造」は、小田深山(おだみやま)を源泉として流れる小田川のほとりに蔵を構え、日本酒づくりには豊富で美しい水を使っている。長年、契約農家の農薬未使用米を使い、長期熟成酒を醸してきたが、創業300年を迎えた頃から地元の米の使用比率を更に増やしてきた。米への理解を深めるため、蔵元も田植えに参加するなど、より良い酒づくりへの挑戦を続けている。蔵での新酒まつりなども開催し、積極的に地域との交流を続け、地域と繋がる酒づくりを行なっている。

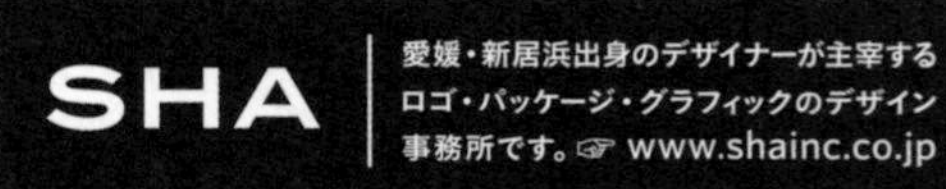

041
佐賀
SAGA

東鶴酒造
佐賀県多久市東多久町別府3625-1
0952-76-2421
azumatsuru.com

休造していた蔵を再開。地酒として再び愛される未来をつくる　江戸末期に創業。山々に囲まれた自然豊かな地で、代々地元に愛される酒づくりを行ってきた。1989年を境に休業していたが、2009年より蔵元自らが杜氏となり、現在は多久市に唯一残る酒蔵として、家族ぐるみで経営している。多久の山々から流れ込む、軟らかくスッキリした味わいの良質な軟水を用い、蔵に眠っていた古い道具と現代の道具を融合して酒づくりに取り組む。地域との関わりに、地元の米と水で独自ブランドの日本酒をつくり、その収益を基金として、地域おこしの活動を支援するプロジェクトに杜氏としても協力している。2019年の佐賀県豪雨災害で被害を受けつつも、多くのファンのために立ち上がる酒蔵。

040
福岡
FUKUOKA

ブルーマスター
福岡県福岡市城南区別府1-19-1
092-841-6336
www.brewmaster2002.com

「本当の地ビール」の出発点。地元素材を美味しく発信する　「日本の食・風土・気候に合う美味しいクラフトビールをつくりたい」という思いから、代表銘柄「ブルーマスター」をはじめ、九州産の農作物を活用したビールが特徴。「地ビール」が全国的に登場したころ、地元の農産品を使用した商品はほぼつくられていなかった。そこで「ブルーマスター」は九州各地の果物・野菜にいち早く着目し、2002年の開業時から10種類以上のフルーツビールを発売した。中でも福岡の代表的な果物「苺」や、大分の「かぼす」を使用した商品は現在も定番として愛されている。自分の好きなビールに出会ってほしいという思いから、大規模なクラフトビールイベントを主催するなど、交流の場もつくる。

043

熊本

KUMAMOTO

古賀択郎
熊本県熊本市中央区上通町11-3
096-240-5326（ワインショップQuruto）

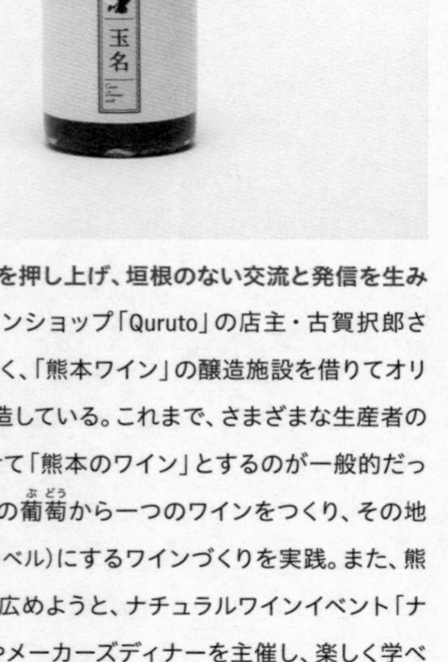

地元のワイン文化を押し上げ、垣根のない交流と発信を生み出す伝え手　ワインショップ「Quruto」の店主・古賀択郎さんは販売だけでなく、「熊本ワイン」の醸造施設を借りてオリジナルワインを醸造している。これまで、さまざまな生産者の葡萄を混ぜ合わせて「熊本のワイン」とするのが一般的だったが、一つの農家の葡萄から一つのワインをつくり、その地名をエチケット（ラベル）にするワインづくりを実践。また、熊本にワイン文化を広めようと、ナチュラルワインイベント「ナチュランネ熊本」やメーカーズディナーを主催し、楽しく学べる場づくりにも携わっている。全国にいる飲食店を巻き込んだウェブメディア「winy」のディレクターを務めるなど、幅広く活動している。

042

長崎

NAGASAKI

壱岐の蔵酒造
長崎県壱岐市芦辺町湯岳本村触520
0920-45-2111
ikinokura.co.jp

「ここでしか生まれない味」に真剣に取り組む伝統を守る酒づくり　九州北方の玄界灘に浮かぶ壱岐島で1984年に創業。蒸留技術が伝わった安土桃山時代から500年続く島の伝統的な製法を生かし焼酎を製造している。多くの麦焼酎は発酵に麦麹を使用しているのに対し、壱岐焼酎では米麹を使っており、甘みとコクが強いのが特徴的。長く続いてきた伝統を守りつつ、減圧蒸留や日本初となる花酵母仕込みなど新しい技術開発にも取り組み、柚子や紫蘇を使用したリキュールの開発も行なう。壱岐焼酎は1995年に世界貿易機関（WTO）によって「地理的表示」の産地指定を受けており、壱岐産でない限り、同じ原料や製法で酒づくりをしても「壱岐焼酎」と呼べない、世界に認められた酒だ。

045
宮崎
MIYAZAKI

渡邊酒造場
宮崎県宮崎市田野町甲2032-1
0985-86-0014
asahi-mannen.com

大きなマーケットを狙わない。一人一人に届ける風土で醸す酒づくり 1914年創業の「渡邊酒造場」は、愛媛県出身の故・渡邊壽賀市がアメリカで林業に携わった後、製材所を営むために宮崎に移り住み、そこで焼酎蔵を買い取ったのが始まり。宮崎県田野町で自家栽培したサツマイモや、宮崎県産の二条大麦「ニシノホシ」に加え、初代・壽賀市の故郷である愛媛県産の麦「マンネンボシ」を使い焼酎を醸している。自家栽培するサツマイモは、農薬利用を最低限に抑え、家族と蔵人総出で収穫。多くの人に焼酎を楽しんでもらいたいと思う一方で、万人に好まれる酒づくりではなくても、材料から自分たちでつくる焼酎にこだわっている。南九州ならではの温暖な気候と緑豊かな自然環境が育んだ酒だ。

044
大分
OITA

ぶんご銘醸
大分県佐伯市直川横川亀の甲789-4
0972-58-5855
www.bungomeijyo.co.jp

焼酎文化を伝え続ける。地域との信頼関係から生まれる味わい 1910年に大分県佐伯市本匠で清酒を製造する「狩生酒造場」として創業。もともと清酒の製造が盛んな地域だったが、その後の焼酎ブームが到来した影響で焼酎づくりを始める。地元の農家に麦の作付けを依頼し、生産した麦を全量買い取りして原料にしている。良質な水、原料となる農産物、気候風土、地域との深い信頼関係がうまく絡み合い、蔵人たちの手によって受け継がれている。原材料にこだわった「狩生」は、QIAJAPAN(有機穀物認証機関)により認証された麦と大麦精麦法でつくられた、完全有機麦焼酎。大分県内の焼酎メーカー5社の若手後継者が集まる「若手焼酎マイスターの会」としても活動し、焼酎文化を伝えている。

047
沖縄
OKINAWA

瑞泉酒造
沖縄県那覇市首里崎山町1-35
098-884-1968
www.zuisen.co.jp

泡盛文化を広げながら唯一無二を守る酒づくり　「瑞泉酒造」は1887年に創業。かつて、琉球王府は泡盛の高い品質を保持するために、首里三箇と呼ばれる首里の城下町、崎山・赤田・鳥堀のみで泡盛の醸造を許可し、伝統の味を守り続けてきた。泡盛を製造するのに欠かせない麹（こうじ）菌は、沖縄での大戦により壊滅したと思われていたが、瑞泉酒造の麹菌が東京大学で真空保存されていることがわかり、その黒麹菌を使った酒づくりが行なわれた。こうして奇跡的に発酵に成功した泡盛「御酒（うさき）」が誕生。白梅香にも似た芳（かぐわ）しい香りとまろやかさは、独自の低温発酵と通風製麹法によるもの。その他にも、3年以上熟成を重ねた「古酒（クース）」や、女性にも親しみやすい泡盛のリキュールなども手がけ、泡盛の間口を広げている。

046
鹿児島
KAGOSHIMA

小正醸造 嘉之助蒸溜所
鹿児島県日置市日吉町神之川845-3
099-201-7700
kanosuke.com

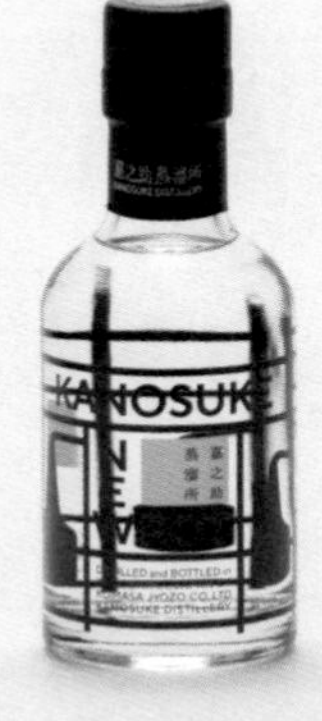

その土地を訪れたくなる空間づくり。ウイスキーと風景を贅（ぜい）沢（たく）に味わえる蒸溜所　薩摩半島で130年以上続く焼酎蔵が、2017年より新しく開始したジャパニーズウイスキーの製造所。焼酎製造で培った技術と伝統をウィスキーの製造に活かす。世界的に小規模な蒸溜所であれば蒸溜器を2基使用するのが一般的だが、「嘉之助蒸溜所」は3基を所有。二度の蒸溜を行なう際に形の違う蒸溜器を使用することで、原酒の味わいをより豊かに変化させることができる。ポットスチルをはじめ、糖化槽、発酵槽なども見学できる予約制のツアーも開催。施設内にある「THE MELLOW BAR」では、美しい海と砂浜を眼下にニューポット・ニューボーンなどのテイスティングも可能で、ウイスキーづくりを五感で感じられる。

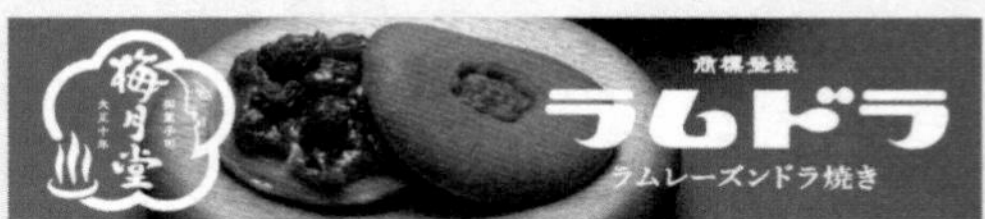

D&DEPARTMENT ORIGINAL GOODS

産地の個性でオリジナルグッズを作っています。

1. dリサイクルコットン靴下 / 1,980円　落ち綿だけを使った糸で編んだオールシーズン履ける靴下。限定カラーのオリーブが登場。　**2. PC SLEEVE FROM LIFESTOCK 11inch** / 6,600円　上質なウール生地を重ね合わせた、MacBook 用のパソコンスリーブ。　**3. re-school PHOTOFRAME 1/8** / 2,750円　学校机の天板を再利用したフォトフレーム。落書きやキズはそのまま残し、シンプルにカットした作り。　**4. d 業務用ハンガー** / 550円　百貨店等で使用される業務用ハンガーとして45年前に誕生した形にdのロゴを入れたオリジナルハンガー。　**5. d JOURNAL SHIRT** / 17,600円〜　オフィスワークやちょっとした打ち合わせに。快適でいてきちんと見えるデザインワーカーのためのシャツ。　**6. d オーガニックコットンタオル フェイス** / 2,420円　ソフトでしなやかな肌触りが特徴。オーガニックコットン100%のオリジナルタオル。　**7. d 靴箱 婦人用** / 1,650円　D&DEPARTMENTのロゴを箔押し加工した紙箱。明るいイエローは2020年限定色。　**8. 杉工場 博多屋台椅子** / 36,300円　過去に作られていた木製の屋台椅子を復刻。使い込む楽しさが感じられる無塗装の仕上げ。

お問い合わせは、店頭または www.d-department.com/

D&DEPARTMENT HOKKAIDO by 3KG
北海道札幌市中央区大通西17-1-7
011-303-3333
11:00–19:00
日・月曜休(祝日は翌日休)
O-dori Nishi 17-1-7, Chuo-ku, Sapporo, Hokkaido
11:00–19:00
Closed on Sunday, Monday (If Monday is a holiday, open on Monday, closed on Tuesday)

D&DEPARTMENT SAITAMA by PUBLIC DINER
埼玉県熊谷市肥塚4-29
PUBLIC DINER 屋上テラス
048-580-7316
11:00–17:00　水曜休
PUBLIC DINER Rooftop Terrace 4-29 Koizuka, Kumagaya, Saitama
11:00–17:00
Closed on Wednesday

D&DEPARTMENT TOKYO / dたべる研究所
東京都世田谷区奥沢8-3-2
03-5752-0120
11:30–19:00　水曜休
Okusawa 8-3-2, Setagaya-ku, Tokyo
Shop / Cafe 11:30–19:00
Closed on Wednesday

D&DEPARTMENT TOYAMA
富山県富山市新総曲輪4-18 富山県民会館 1F
076-471-7791
ショップ 10:00–19:00
ダイニング 平日 10:00–17:00
土・日・祝 10:00–19:00
不定休(富山県民会館の休館日に準ずる)
Toyama-kenminkaikan 1F, Shinsogawa 4-18, Toyama, Toyama
Shop 10:00–19:00
Dining Weekday 10:00–17:00
Weekend, holiday 10:00–19:00
Closed Occasionally

D&DEPARTMENT YAMANASHI by Sannichi-YBS
山梨県甲府市北口2-6-10 山日YBS本社 (山梨文化会館) 2F
ショップ 055-225-5222　カフェ 055-222-7793
ショップ 11:00–19:00　カフェ 11:30–22:00
月曜休(祝日は翌日休)
Sannichi-YBS (Yamanashi Culture Hall) 2F, Kitaguchi 2-6-10, Kofu, Yamanashi
Shop 11:00–19:00　Café 11:30–22:00
Closed on Monday (If Monday is a holiday, open on Monday, closed on Tuesday)

D&DEPARTMENT KYOTO
京都府京都市下京区高倉通仏光寺
下ル新開町397 本山佛光寺内
ショップ 075-343-3217　食堂 075-343-3215
ショップ 10:00–18:00　食堂 10:30–18:00
水曜休
Bukkoji Temple, Takakura-dori Bukkoji Sagaru Shinkai-cho 397, Shimogyo-ku, Kyoto, Kyoto
Shop 10:00–18:00　Café 10:30–18:00
Closed on Wednesday

D&DEPARTMENT KAGOSHIMA by MARUYA
鹿児島県鹿児島市呉服町6-5
マルヤガーデンズ 4F
099-248-7804
10:00–20:00
不定休(マルヤガーデンズの休館日に準ずる)
Maruya gardens 4F, Gofuku-machi 6-5, Kagoshima, Kagoshima
10:00–20:00　Closed Occasionally

D&DEPARTMENT OKINAWA by OKINAWA STANDARD
沖縄県宜野湾市新城2-39-8
098-894-2112
11:00–19:00　火曜休
Aragusuku 2-39-8, Ginowan, Okinawa
11:00–19:00 Closed on Tuesday

D&DEPARTMENT SEOUL by MILLIMETER MILLIGRAM
ソウル市龍山(ヨンサン)区(グ)梨(イ)泰(テ)院(ウォン)路(ロ)240
+82 2 795 1520
11:30–20:00　毎月、最終月曜休
Itaewon-ro 240, Yongsan-gu, Seoul, Korea
11:30–20:00　Closed on the last Monday of the month

D&DEPARTMENT JEJU by ARARIO (2020, MAY OPEN)
済州島(チェジュトゥ) 済州市(チェジュシ) 塔洞路(ダプドンロ) 2ギル 3
3, Topdong-ro 2-gil, Jeju-si, Jeju-do, Korea

D&DEPARTMENT HUANGSHAN by Bishan Crafts Cooperatives
安徽省黄山市黟县碧阳镇碧山村
+86 13339094163
9:30–18:00　無休
Bishan Village, Yi County, Huangshan City, Anhui Province, China
9:30–18:00
No Closing Days

d47 MUSEUM / d47 design travel store / d47食堂
東京都渋谷区渋谷2-21-1 渋谷ヒカリエ 8F
d47 MUSEUM /
d47 design travel store　03-6427-2301
d47食堂 03-6427-2303
d47 MUSEUM / d47 design travel store
11:00–20:00
d47食堂　11:30–23:00
不定休(渋谷ヒカリエの休館日に準ずる)
Shibuya Hikarie 8F, Shibuya 2-21-1, Shibuya, Tokyo
d47 MUSEUM /
d47 design travel store　11:00–20:00
d47 SHOKUDO　11:30–23:00　Closed Occasionally

D&DEPARTMENT SHOP LIST

HOKKAIDO

KYOTO

HUANGSHAN

SAITAMA

KAGOSHIMA

d47 MUSEUM

TOKYO

OKINAWA

d47 design travel store

TOYAMA

SEOUL

d47 SHOKUDO

YAMANASHI

JEJU

田中 陽子 Yoko Tanaka
D&DEPARTMENT PROJECT
WEBからロングライフデザインをお届けします。

玉井 大蔵 Daizo Tamai
ひなのや 代表
小さい頃の夢はオリンピック選手でした。ビバ東京2020！

田原 奈央子 Naoko Tawara
かつれつ亭・広報担当
いつも穏やかな空気と人懐こい愛媛の人が大好きです。

辻井 希文 Kifumi Tsujii
イラストレーター
奈良出身。ふつうの絵を描かせて頂いております。

辻岡 由 Yui Tsujioka
つたえる部 商品担当
旅行先の大三島で触れたアートと食は良き思い出。

恒岡 志保 Shiho Tsuneoka
砥部焼き作り手
砥部焼きの町より
"ええとこやけんまたおいでやねー"

徳増 知司 Tomoji Tokumasu
西条市観光振興課
ほどよい田舎、西条市。
遊びに来てくださいね！

豊島 吾一 Goichi Toyoshima
今治ホホホ座 共同代表
愛媛の不真面目を担当。もっと不真面目たれ！

長島 加奈恵 Kanae Nagashima
d47 MUSEUM
今年は愛媛号を携えて家族旅行したーい！！

中田 佳奈子 Kanako Nakata
内子町役場　町並・地域振興課
伝統文化施設係　係長
内子座の公演ごとに違う表情を味わってみてください。

中田 正隆 Masataka Nakata
砥部焼窯元
生活の中で楽しく使いやすい器作りを心がけたい。

野上 彩 Sayaka Nogami
料理家
愛媛はとにかく穏やかで居心地の良い美味しい所です！

橋本 えりか Erika Hashimoto
暁工房/miu デザイン制作
真珠、和紙、ガラス。愛媛の美しいものづくり。

濱中 彩乃 Ayano Hamanaka
d47 食堂
凪の海のような穏やかであたたかな人々に感謝を。

林 慎一郎 Shinichirou Hayashi
内子町役場　町並・地域振興課　課長
内子座のこれからの100年に向けて「藝於遊」。

日野 藍 Ai Hino
西条市役所 広報専門員
西条のことは私までお気軽に！
山と祭りが大好きです。

平野 拓也 Takuya Hirano
無茶々園
何事も柑橘類とともに動く日常を過ごしています。

平山 記子 Noriko Hirayama
URBAN RESEARCH DOORS
瀬戸内海を連想させるワンピースを愛媛の美人さんが着用しました。

藤森 美佳 Mika Fujimori
無茶々園
狩浜の段々畑は一見の価値有。
ご案内します！

文 梨英 Rie Bun
MUSTAKIVI 店長
北欧と和の調和をMUSTAKIVIにてご体感下さい。

ますだけんたろう Kentaro Masuda
企劃屋／なんでも屋
ふる～さと、ふるさ～と、わが愛媛♪

松崎 紀子 Noriko Matsuzaki
design clips
魅力がいっぱいな四国を、この本を片手に周遊する日を夢見ています。

松波 雄大 Yudai Matsunami
株式会社サードフロア代表／
松山市議会議員
愛媛、四国にぜひ遊びに来てください。最高のローカル体験をご案内します！

松本 幸二 Koji Matsumoto
Graphic Designer / Grand Deluxe
愛媛の魅力をデザインを通じて伝えていきたい！

眞鍋 明 Akira Manabe
株式会社マルブン代表取締役
愛媛を生かして美味しい～と喜んでもらうのが使命なのだ。

馬渕 好司 Koji Mabuchi
宇和米博物館マネージャー
うわ米をはじめ、お米や食の魅力を発信しています。

宮崎 陽平 Yohei Miyazaki
みやざきタオル 営業
タオルの新カテゴリー作りに残りの人生捧げます。

牟田口 武志 Takeshi Mutaguchi
IKEUCHI ORGANIC株式会社
営業部部長/タオルソムリエ
祝・刊行！愛媛号を片手に、旅をしたいです。

村上 瞳 Hitomi Murakami
ひなのや ショップマネージャー
ポン菓子専門店。
ご来店お待ちしております！

村上 雄二 Yuji Murakami
(株)伊織 代表取締役社長
世界中を愛媛の虜に！
愛媛を大切に伝えていきます！

矢野 裕子 Yuko Yano
広告企画室ネコノテ
愛媛好きすぎて、離島に事務所移転！最高っす。

山内 大輔 Daisuke Yamauchi
合同会社アソビ社 代表社員
ゲストハウス内子晴れを経営愛媛を「アソビ」つくします！

山口 遥 Haruka Yamaguchi
d47 design travel store
畦地さんの絵と愛媛号で向き合えて嬉しいです。

山﨑 悠次 Yuji Yamazaki
写真家
yujiyamazaki.com

山田 果穂 Kaho Yamada
d47 食堂
次こそは狩浜の暴れ牛鬼が見たい！

吉成 太一 Taichi Yoshinari
瀬戸内リトリート 青凪　総支配人
世界に届け！愛媛の建築&アート&ラグジュアリー。

CONTRIBUTORS

相馬 夕輝 Yuki Aima
D&DEPARTMENT PROJECT
明浜のあたたかさ。片山恵子さんの手料理。春のようでした。

有馬 まどか Madoka Arima
D&DEPARTMENT 商品部
梅太郎さんの山男たちが好きです！

井伊 友博 Tomohiro Ii
井伊商店
麦麹独特の香りと甘みのある愛媛の麦味噌を仕込み中。

池内 計司 Keishi Ikeuchi
IKEUCHI ORGANIC 株式会社 代表
美しい瀬戸内と石鎚と友に生きる誇りを信じたい。

内田 喜基 Yoshiki Uchida
Branding Director
愛媛の皆さんにはとても良いご縁を頂いてます！

衛藤 武智 Takenori Eto
日本語校閲担当
速吸瀬戸を挟んだ隣がルーツゆえ、愛媛県には親近感◎

大野 和香奈 Wakana Ono
フォトスタジオ『THE DAY』代表
東京から移住。温泉とお寿司とポートレイトの日々。

岡村 朱乃 Ayano Okamura
株式会社テンナイン・コミュニケーション
記憶に残る通訳・心に届く翻訳
www.ten-nine.co.jp

越智 政尚 Masanao Ochi
本の轍 主宰
春日町の街角に佇む本屋さん。轍は続くよどこまでも。

片岡 誠治 Seiji Kataoka
LACONIC（代表）
紙の匂いを嗅ぎながら、いつも空を飛んでいます。

片山 恵子 Keiko Katayama
有機農業・無茶々園・みかん生産者
山、海、人の幸に恵まれて感動と感謝の日々。

門脇 万莉奈 Marina Kadowaki
d47 design travel store 店長
愛媛の喫茶店も巡りにいこうと計画中。

上久保 杏子 Kyoko Kamikubo
d47 MUSEUM
大須市の山奥にある曽祖父のお墓参り、近々行くぞ〜。

NPO法人柑橘ソムリエ愛媛
Citrus Sommelier Ehime
柑橘はサブカルのように深く、そしておいしい。

工藤 冬里 Tori Kudo
主に砥部で作陶業
あとは東温市移動図書館職員などもやっています。

久保 一平 Ippei Kubo
クロスポイント 代表取締役
登山用品店店長。自然を愛し全国の山々を登ってます。

グレブ バルトロメウス リチャード
Bartlomiej Greb
木屋旅館 支配人
愛媛の深いところには面白さがある。

黒江 美穂 Miho Kuroe
d47 MUSEUM 館長
無茶々園から見える海や山の景色を満喫したいです。

黒川 栄作 Eisaku Kurokawa
株式会社FLOW ERS 代表取締役
愛媛発のライフスタイルブランド「ムスタキビ」を運営。

黒澤 厚哉 Atsuya Kurosawa
WONDERWORLD代表
アートディレクター／デザイナー
住吉食堂の味が忘れられません。あぁ近所に欲しい。

齋藤 宏之 Hiroyuki Saito
株式会社 五十崎社中 代表取締役
手漉和紙商品作ってます。愛媛、居心地良いですよ。

坂本 大三郎 Daizaburo Sakamoto
山伏
FC今治がどうなるか楽しみ。

サブリナ・ウォイトン Sabrina Woiton
翻訳コーディネーター
41の都道府県を旅して、残りもgoing soon

澤井 謙次 Kenji Sawai
IKEUCHI ORGANIC 代表秘書
生粋の伊予っ子タオルソムリエがタオル愛を語ります！

澤浦 千秋 Chiaki Sawaura
d47 design travel store
石鎚山に呼ばれている気がしてなりません。

清水 睦 Mutsumi Shimizu
D&DEPARTMENT PROJECT
定番銘柄から新種まで、これでもか！の柑橘旅をしたい。

白濱 ひかる Hikaru Shirahama
d47 design travel store
甘ければ甘いみかんが好き。

新名 直子 Naoko Shinmyo
jam room store 店主
商品説明も近所のオススメ紹介も、同じ熱量入ります！

菅沼 祥平 Shohei Suganuma
d47 design travel store
隙あればサウナに通う日々。全国のサウナを巡りたい。

高岡 笑子 Emiko Takaoka
ヘアメイク
愛媛にたくさん人が遊びに来てくれますように。

高木 崇雄 Takao Takaki
工藝風向 店主
先日伊丹十三記念館に行きました。回廊の天井が好み。

高木 夏希 Natsuki Takagi
D&DEPARTMENT PROJECT
旅先で温泉に入り帰路に着くのが常。道後温泉も必ず。

高橋 享平 Kyohei Takahashi
大三島ブリュワリー 合同会社
しまなみ海道、大三島にてクラフトビール醸造中。

高橋 裕美 Hiromi Takahashi
D&DEPARTMENT PROJECT
ジューシーな紅まどんなが たまりません。

髙山 重樹 Shigeki Takayama
内子町役場　町並・地域振興課 課長補佐
活きた芝居小屋、「内子座」に是非お越しください。

竹林 一茂 Kazushige Takebayashi
SHA inc. Art Director
愛媛の皆さんデザインで力になるのでご連絡ください！

ちょっと長めの、編集長後記

穏やかな〝凪〟のように、揺るぎないもの。

神藤秀人

二〇一九年の一一月から始まった「愛媛号」。どうしても冬の時期に取材をすると、長期的な冬季休業に入ってしまう店や場所には、なかなか行くことが出来ない。愛媛では、「お椿さん」「いかざき大凧合戦」「うわじま牛鬼まつり」「西条まつり」……行きたくても行けないイベントも盛りだくさん。それでも愛媛の人や、これまでお世話になった全国の人からもアドバイスをいただき、いよいよ「愛媛号」も完成。

愛媛県は、「真面目」だと、県民性を揶揄されてしまうようだが、言い換えれば誠実で賢い。口には出さないが、心の中には強い信念があって、それをふつふつと温めているようでもあった。同じ四国でも、他県に比べ特別個性が強いわけでもないが、その代わり東西南北に伸び、海と山が近い景色がどの地域にも広がっていて、製紙や造船、タオルや砥部焼、真珠や柑橘といった「産業」が目立っていた。道後温泉やしまなみ海道をはじめとする観光地は数えるほどで、わざわざ「観光」にすることなく、〝ものづくり〟を続けてきたことが、今の愛媛県の暮らしを守ってきたようにも感じる。東予では、月賦(ローン払い)の仕組みを考えられたともいわれ、そうした堅実な計画性が培われ、南予では、鯛やアコヤ貝の養殖も盛んになり、じっと待つ忍耐力もある。誰もが優しく親切で、裏表のない素直さだってあった。

中予、松山での滞在が多くなったこの旅だが、みかん色の路面電車が走る街並みはとても長閑で、ゴトンゴトンと電車の音で目覚めることも多くて、昔のままの平凡な日常がずっ

patience. No matter where you go, people are friendly, and genuinely so.

I spent much of my time on this trip in Chuyo and Matsuyama, where I found life to be much as it's always been: ordinary and uneventful. The city streets, with their ambling orange streetcars, were quite tranquil, and I often woke in the morning to the click-clack of passing trains.

Speaking of design, there seem to be relatively few designers in Ehime. I chalk it up to the lack of tourism. But the fact is, the Internet is growing and there aren't enough people to carry on traditions, and so demand is slowly starting to rise. Young people are moving to Ehime and injecting new life into the prefecture's design scene. They respect those who came before them, and they get that some things are best left as they are. But they're experimenting with a more "symbiotic" form of design, marked by deliberately refined ideas that avoid making too many waves. I felt that movement, more than anything else, captures the essence of Ehime.

と続いた。取材をすれば誰もが、みかんをお土産に持たせてくれる。道後温泉本館の開館を知らせる太鼓を、常連客が並んで待っている。露口に行けば、サラリーマンがワイワイしている。そんな〝普通〟が、みんな好きだった。

デザインの話をすれば、愛媛県には、デザイナーが比較的少なかったように思える。やはりそれは観光が少なかったからではないだろうか。しかし、インターネットの普及や後継者不足は否めず、徐々に需要も増えてきて、今では、I・Uターン者の若者たちによるデザインが活発になってきている。そのままでいいものの価値を十分理解し、先人を敬いながらも、「共生」という形を試行錯誤し、荒波が立たないように、念入りにアイデアが練られたモノやコト。僕にはそれが、もっとも〝愛媛らしい〟ことのように思えた。

気づけば、何事もなかったかのように二か月が過ぎ、透明な海の中をゆったりと泳いでいたようだった。蓄積された美しい珊瑚礁のような愛媛の街を覗いているうちに、ようやく愛媛県の個性が分かってきた。凪のように穏やかな時間が流れ、一〇年後も二〇年後も一〇〇年後も、そのままであり続けるような平和な世界。外から来た者は、心が浄化され、透き通った〝愛媛色〟に染まる。だから僕は、今すべての原稿を書き終え、のんびりと部屋でみかんを食べるのも、どこか愛媛の愛おしさを思い浮かべるのだ。この何でもない時間が、何よりも豊かだという実感。愛媛県ならではの、揺るぎない暮らしを、また旅をして、感じたい。

Slightly Long Editorial Notes

By Hideto Shindo

Like a Gentle Breeze, Ever Abiding

The people of Ehime are often ridiculed as being too "serious." But that's just another way of saying they're honest and smart. You'll never hear about it from them, but deep down, they are fiercely passionate in their beliefs. Ehime is much like the rest of Shikoku in most respects. What I did find remarkable, though, was its landscape, the wide expanses of sea and mountains in every corner of the prefecture. And its industries: papermaking and shipbuilding, towels and porcelain, pearls and citrus fruits. With only a handful of tourist spots like Dogo Onsen and the Shimanami Kaido, Ehime has relied on its traditional craftsmanship rather than tourism to preserve its way of life. The Toyo region, said to be the birthplace of the monthly installment plan, is known for its steady, reliable planning, while Nanyo, with its bountiful fish and shellfish farms, prides itself on its

17 **ところミュージアム大三島**(→p. 079)
愛媛県今治市大三島町浦戸2362-3
0897-83-0380 9:00–17:00 月曜休
（祝日の場合は翌日休）年末休
Tokoro Museum Omishima(→p. 080)
Urado 2362-3, Omishima-cho, Imabari, Ehime

18 **アポニー**(→p. 079)
愛媛県今治市共栄町2-2-58 2F
0898-32-3807 10:00–19:00 水曜、第1火曜休
Apony(→p. 080)
2F, Kyoei-cho 2-2-58, Imabari, Ehime

19 **今治ホホホ座**(→p. 080, 137)
愛媛県今治市共栄町1-3-3 090-8479-0140
イベント時のみ営業
Imabari HOHOHOZA(→p. 080, 137)
Kyoei-cho 1-3-3, Imabari, Ehime

20 **うお駒**(→p. 080)
愛媛県今治市常盤町1-3-11
090-5146-4411 12:00–18:00 月～金曜休
Uocoma(→p. 080)
Tokiwa-cho 1-3-11, Imabari, Ehime

21 **愛媛民藝館**(→p. 080)
愛媛県西条市明屋敷238-8
0897-56-2110 9:00–17:00（入館は16:30まで）
月曜休、祝日の翌日休、年末年始休
Ehime Museum of Folkcraft(→p. 080)
Akeyashiki 238-8, Saijo, Ehime

22 **別子銅山記念館**(→p. 081)
愛媛県新居浜市角野新田町3-13
0897-41-2200
9:00–16:30 月曜休、祝日休（日曜の場合は開館）、
10月17・18日休、年末年始休、臨時休館あり
Besshi Copper Mine Memorial Museum(→p. 083)
Suminoshinden-cho 3-13, Niihama, Ehime

23 **片岡紙工**(→p. 081)
愛媛県四国中央市中之庄町106 ※店舗なし
0896-24-3635
Kataoka Paper Products(→p. 083)
Nakanosho-cho 106, Shikoku-chuo, Ehime

24 **内子座**(→p. 082)
愛媛県喜多郡内子町内子2102
0893-44-2840 9:00–16:30 年末年始休
Uchikoza(→p. 082)
Uchiko 2102, Uchiko-cho, Kita-gun, Ehime

25 **内子の宿**(→p. 082)
愛媛県喜多郡内子町内子1995（フロント）
0893-44-5735 「織」「久」（一棟貸し）：
1泊朝食付き60,000円～(4名利用時)
「くら」「こころ」：1泊朝食付き13,200円～
Uchiko-Inn(→p. 082)
Uchiko 1995, Uchiko-cho, Kita-gun, Ehime

26 **石畳の宿**(→p. 082, 140)
愛媛県喜多郡内子町石畳2877
0893-44-5730 販売8:00–17:00 第3火曜休、
お盆休、年末年始休 1泊2食付き1名8,800円～
(2名利用時)（食事のみの場合は、7名～要予約）
Ishidatami no Yado(→p. 082)
Ishidatami 2877, Uchiko-cho, Kita-gun, Ehime

27 **五十崎社中ショップ**(→p. 083, 142)
愛媛県喜多郡内子町平岡甲928 天神産紙内
0893-44-4403 9:00–17:00 無休
Ikazaki Shachu Shop(→p. 082)
Inside Tenjin Sanshi at Hiraoka-ko 928,
Uchiko-cho, Kita-gun, Ehime

28 **酒乃さわだ**(→p. 085)
愛媛県大洲市五郎甲2682
0893-25-3838 10:00–18:00 月曜休
Sawada Liquor Shop(→p. 085)
Ko 2682, Goro, Ozu, Ehime

29 **田力本願**(→p. 085, 141)
愛媛県西予市宇和町田野中323-2
0894-89-1693 tariki-hongan.jp
Tariki Hongan Company, Ltd.(→p. 085, 141)
Tanonaka 323-2, Uwa-cho, Seiyo, Ehime

30 **黒田旗幟店**(→p. 085)
愛媛県宇和島市栄町港2-1-12
0895-22-1317 8:00–17:00 日曜休
Kuroda Hatanobori Store(→p. 086)
Sakaemachi-minato 2-1-12, Uwajima, Ehime

31 **パフィオうわじま**(→p. 086)
愛媛県宇和島市鶴島町8-3
0895-49-5922
9:00–22:00（図書館、子育て世代活動
支援センターは19:00まで）年末年始休
Pafio Uwajima(→p. 085)
Tsurushima-cho 8-3, Uwajima, Ehime

32 **無茶々園**(→p. 086, 124)
愛媛県西予市明浜町狩浜2-1350
0894-65-1417
9:00–17:00 日曜休（夏期は土・日曜、祝日休）
Muchachaen(→p. 086, 124)
Karihama 2-1350, Akehama-cho, Seiyo, Ehime

33 **KOUJIYA**(→p. 086)
愛媛県宇和島市三間町宮野下700
0895-58-2015 9:00–18:00 日曜休
KOUJIYA(→p. 086)
Miyanoshita 700, Mima-cho, Uwajima, Ehime

34 **今治タオル 本店**(→p. 101)
愛媛県今治市東門町5-14-3テクスポート
今治 1F 0898-34-3486 9:00–18:00
年末年始休
Imabari Towel Main Store(→p. 101)
Texport Imabari 1F, Higashimon-cho 5-14-3,
Imabari, Ehime

35 **みやざきタオル**(→p. 103, 142)
愛媛県今治市中寺632-1※店舗なし
0898-32-1776 www.miyazaki-towel.co.jp
Miyazaki Towel(→p. 142)
Nakadera 632-1, Imabari, Ehime

36 **中田窯**(→p. 115, 141)
愛媛県伊予郡砥部町総津159-2
089-969-2077
9:00–16:00 土・日・月曜、祝日休
Nakatagama(→p. 142)
Sozu 159-2, Tobe-cho, Iyo-gun, Ehime

37 **井伊商店**(→p. 133)
愛媛県宇和島市鶴島町3-23
0895-22-2549 8:00–18:00 日曜休
Ii Shoten(→p. 135)
Tsurushima-cho 3-23, Uwajima, Ehime

38 **宇和島練り物工房みよし**(→p. 133)
愛媛県宇和島市野川甲1207-3
0895-24-1443 8:00–18:00 日曜休
Uwajima Nerimono Workshop Miyoshi(→p. 133)
Ko 1207-3, Nogawa, Uwajima, Ehime

39 **石鎚黒茶 さつき会**(→p. 133)
愛媛県西条市小松町北川396
0898-72-3927
Ishizuchi Kurocha Satsukikai(→p. 133)
Kitagawa 396, Komatsu-cho, Saijo, Ehime

40 **本の轍**(→p. 074, 139)
愛媛県松山市春日町13-10 小田原ビル101
089-950-4133 13:00–19:00
日～水曜休、他臨時営業あり
Hon no Wadachi(→p. 139)
Odawara Bldg. 101, Kasugamachi 13-10,
Matsuyama, Ehime

41 **NPO法人柑橘ソムリエ愛媛**(→p. 066, 086, 141)
Citrus Sommelier Association (→p. 066, 086, 141)
citrus-sommelier.com

42 **別子飴本舗**(→p. 142)
愛媛県新居浜市郷2-6-5
0897-45-1080 8:30–18:00 年始休
Besshiame Honpo Co., Ltd.(→p. 0142)
Go 2-6-5, Niihama, Ehime

43 **G.B.C チョコレートファクトリー**(→p. 141)
愛媛県四国中央市金生町下分907-1
0896-77-5449 9:00–19:00 不定休
G.B.C Chocolate Factory(→p. 142)
Shimobun 907-1, Kinsei-cho, Shikoku-chuo, Ehime

44 **GOOD MORNING FARM**(→p. 141)
愛媛県喜多郡内子町五十崎甲1221-3
0893-23-9691 9:00–17:00
GOOD MORNING FARM(→p. 141)
Ko 1221-3, Ikazaki, Uchiko-cho, Kita-gun, Ehime

45 **宇和島名産即売所**(→p. 141)
愛媛県宇和島市錦町9-2
0895-22-2718 8:30–19:00
Uwajima Meisan Sokubaijo (local produce
wholesale center) (→p. 141)
Nishikimachi 9-2, Uwajima, Ehime

46 **千代の亀酒造**(→p. 174)
愛媛県喜多郡内子町平岡甲1294-1
0893-44-2201
8:00–17:00 土・日曜、祝日休、お盆、年末年始休
Chiyonokame-Shuzo (Brewery)(→p. 174)
Ko 1294, Hiraoka, Uchiko-cho, Kita-gun, Ehime

d MARK REVIEW INFORMATION (→ p. 189)

d design travel EHIME INFORMATION

1 FAVORITE
アサヒ(→p. 073, 098)
愛媛県松山市湊町3-10-11
089-921-6470
10:00–16:00(売り切れ次第終了)
水曜休、第2·4火曜休
Asahi(→p. 073)
Minatomachi 3-10-11, Matsuyama, Ehime

2 FAVORITE
ツム・シュバルツェン・カイラー(→p. 098)
愛媛県喜多郡内子町城廻204-1
0893-57-9066
月～土 17:00–21:30(L.O. 20:30)
日 11:30–14:30(L.O. 14:00)、17:00–21:30(L.O. 20:30)水曜休(祝日の場合は営業)
Zum schwarzen Keiler(→p. 098)
Shiromawari 204-1, Uchiko-cho, Kita-gun, Ehime

3 FAVORITE
かねと食堂(→p. 098)
愛媛県今治市室屋町1-2-16
0898-22-1997　8:00–15:00(土·日曜、祝日は19:00まで)　火·水曜休
Kaneto Shokudo(→p. 098)
Muroya-cho 1-2-16, Imabari, Ehime

4 FAVORITE
島のモノ 喫茶 田中戸(→p. 077, 098)
愛媛県松山市住吉2-8-1
090-6280-3750　11:00–夕暮れ　水曜休
Tanakado(→p. 79, 098)
Sumiyoshi 2-8-1, Matsuyama, Ehime

5 FAVORITE
市場食堂(→p. 098)
愛媛県南宇和郡愛南町鯆越166-4(漁協敷地内)
0895-73-2556
7:00–17:00　土曜休(漁協の営業に準ずる)
Ichiba Shokudo(→p. 098)
Irukagoe 166-4, Ainan-cho, Minamiuwa-gun, Ehime

6 FAVORITE
大三島ブリュワリー(→p. 079, 099)
愛媛県今治市大三島町宮浦5589
0897-72-9248　12:00–20:00　火·水曜休
Omishima Brewery(→p. 081, 099)
Miyaura 5589, Omishima-cho, Imabari, Ehime

7 FAVORITE
やまこうどん(→p. 099)
愛媛県宇和島市錦町1-7
0895-22-2315　5:00–9:00 日曜、祝日休
Yamako Udon(→p. 099)
Nishikimachi 1-7, Uwajima, Ehime

8 FAVORITE
日の出ホルモン(→p. 099)
愛媛県伊予郡砥部町高尾田21
089-948-8211
11:00–22:00(L.O. 21:30)　水曜休
Hinode Horumon (→p. 099)
Takoda 21, Tobe-cho, Iyo-gun, Ehime

9 FAVORITE
とんとん(→p. 099)
愛媛県松山市元町8-22
089-953-1870　11:00–15:00(L.O. 14:30)
毎月5日、15日、25日休　臨時休業あり
Tonton(→p. 099)
Motomachi 8-22, Matsuyama, Ehime

10 FAVORITE
鳥林(→p. 099)
愛媛県今治市南大門町1-6-17
0898-32-1262　17:00–22:00 日曜休
Toribayashi(→p. 099)
Minami-daimon-cho 1-6-17, Imabari, Ehime

11 FAVORITE
古民家ゲストハウス&バー 内子晴れ(→p. 082, 099)
愛媛県喜多郡内子町内子3025
0893-57-6330
13:00–22:00(L.O. 21:30) 火曜休
1泊1名4,000円～
Guesthouse & Bar Uchikobare(→p. 082, 099)
Uchiko 3025, Uchiko-cho, Kita-gun, Ehime

1
万利茂(→p. 073)
愛媛県松山市二番町2-6-10
089-945-9366　8:00–18:00 日曜休
Marimo(→p. 075)
Niban-cho 2-6-10, Matsuyama, Ehime

2
10 FACTORY 松山本店(→p. 074)
愛媛県松山市大街道3-2-25
089-968-2031
10:00–18:00 木曜休
10 Factory Matsuyama Main Store(→p. 075)
Okaido 3-2-25, Matsuyama, Ehime

3
ROSA(→p. 074)
愛媛県松山市大街道3-8-11
089-993-5608
11:00–18:00 火曜休、臨時休業あり
ROSA(→p. 075)
Okaido 3-8-11, Matsuyama, Ehime

4
伊織 松山店(→p. 074)
愛媛県松山市大街道3-2-45
089-993-7557　9:00–19:00 無休
Iori Matsuyama Store(→p. 074)
Okaido 3-2-45, Matsuyama, Ehime

5
松山城(→p. 074)
愛媛県松山市丸之内1
089-921-4873　9:00–17:00(8月は17:30まで、12～1月は16:30まで。受付は30分前まで)
12月第3水曜休
Matsuyama Castle(→p. 074)
Marunouchi 1, Matsuyama, Ehime

6
愛媛県美術館(→p. 074)
愛媛県松山市堀之内
089-932-0010
9:40–18:00(入館は17:30まで)
月曜休(祝日の場合は翌日休。第1月曜は開館し翌日休)年末年始休
The Museum of Art Ehime(→p. 074)
Horinouchi, Matsuyama, Ehime

7
坊っちゃん列車ミュージアム(→p. 074)
愛媛県松山市湊町4-4-1 伊予鉄グループ本社ビル1F
089-948-3290　7:00–21:00 無休
Botchan Train Museum(→p. 074)
Iyotetsu Group Headquarters Bldg. 1F, Minatomachi 4-4-1, Matsuyama, Ehime

8
子規記念博物館(→p. 074)
愛媛県松山市道後公園1-30
089-931-5566
5～10月 9:00–18:00(入館は17:30まで)
11～4月 9:00–17:00(入館は16:30まで)
火曜休、祝日の翌日休
The Shiki Museum(→p. 077)
Dogo Koen 1-30, Matsuyama, Ehime

9
温泉宿 どうごや(→p. 075)
愛媛県松山市道後多幸町6-38
089-934-0661(電話受付は、8:00–22:00)
1泊朝食付き5,500円～(2名利用時)
Dougoya(→p. 077)
Dougotako-cho 6-38, Matsuyama, Ehime

10
伊丹十三記念館(→p. 077)
愛媛県松山市東石井1-6-10
089-969-1313　10:00–18:00 火曜休
Itami Juzo Museum(→p. 079)
Higashiishii 1-6-10, Matsuyama, Ehime

11
ジャイアントストア今治(→p. 077)
愛媛県今治市北宝来町1-729-8
0898-25-1175　9:00–19:00 火曜休
Giant Store Imabari(→p. 078)
Kitahorai-cho 1-729-8, Imabari, Ehime

12
亀老山展望公園(→p. 077)
愛媛県今治市吉海町南浦487-4
0897-84-2111(今治市役所 吉海支所) 無休
Kirosan(Mt. Kiro) Park(→p. 078)
Minamiura 487-4, Yoshiumi-cho, Imabari, Ehime

13
伯方塩業 大三島工場(→p. 078, 090)
愛媛県今治市大三島町台32
0897-82-0660　9:00–16:00(受付は15:30まで)　お盆休、年末年始休、他不定休
Hakata Salt Omishima Plant(→p. 078)
Utena 32, Omishima-cho, Imabari, Ehime

14
大三島みんなの家(→p. 079)
愛媛県今治市大三島町宮浦5562
0897-72-9308　カフェ11:00–16:00、ワインバル18:00–22:00　月曜休
Omishima Minna no Ie(→p. 081)
Miyaura 5562, Omishima-cho, Imabari, Ehime

15
今治市 伊東豊雄建築ミュージアム(→p. 079)
愛媛県今治市大三島町浦戸2418
0897-74-7220　9:00–17:00 月曜休(祝日の場合は翌日休)年末休
Toyo Ito Museum of Architecture, Imabari(→p. 081)
Urado 2418, Omishima-cho, Imabari, Ehime

16
今治市 岩田健 母と子のミュージアム(→p. 079)
愛媛県今治市大三島町宗方5208-2
0897-83-0383　9:00–17:00 月曜休(祝日の場合は翌日休)年末休
Ken Iwata Mother and Child Museum, Imabari City(→p. 080)
Munagata 5208-2, Omishima-cho, Imabari, Ehime

ムスタキビ(→p. 048, 074, 141)
⚲ 愛媛県松山市大街道3-2-27
美工社ビル1F・B1F
☎089-993-7496
◷10:00–19:00(木曜、日曜は18:00まで)
火・水曜休、年末年始休、臨時休業あり
ℹ伊予鉄道城南線 大街道駅から徒歩約3分
MUSTAKIVI(→p. 049, 141)
⚲ Bikosha Bldg. 1F/ B1F, Okaido 3-2-27, Matsuyama, Ehime
◷10:00–19:00 (Thursdays, Sundays: until 18:00), Closed on Tuesdays, Wednesdays, year-end / New Year's, and occasionally on other irregular days
ℹ 3 minutes on foot from Okaido Station on Iyotetsu Railway's Jonan Line

こけむしろ(→p. 050)
⚲ 愛媛県西予市宇和町信里2099
☎080-3928-9276
◷10:00–17:00(L.O. 16:30)
1月〜3月 土・日曜、祝日のみ営業
4月〜12月 月曜休(祝日の場合は営業)
ℹ松山自動車道 大洲南ICから車で約20分
Kokemushiro(→p. 051)
⚲ Nobusato 2099, Uwa-cho Seiyo, Ehime
◷10:00–17:00 Jan.-Mar.: Open only on Saturdays, Sundays, and national holidays; Apr.-Dec.: Closed on Mondays(If Monday is a national holiday, open on Monday)
ℹ 20 minutes by car from Ozu-minami IC on Matsuyama Expressway

遠見茶屋(→p. 052, 078)
⚲ 愛媛県今治市宮窪町宮窪6363-1
☎0897-86-2883
◷10:00–16:00(L.O. 15:30)
月〜金曜休(祝日の場合は営業)、
12月〜3月末休
ℹ西瀬戸自動車道 大島南ICから車で約15分
Tomi Chaya(→p. 053)
⚲ Miyakubo 6363-1, Miyakubo-cho Imabari, Ehime
◷10:00–16:00 (L.O. 15:30), Closed from Mondays to Fridays (open on national holidays); Closed from Dec.to end of Mar.
ℹ 15 minutes by car from Oshima Minami IC on Nishiseto Expressway

瀬戸内リトリート青凪(→p. 054)
⚲ 愛媛県松山市柳谷町794-1
☎089-977-9500
ℹ1泊2食付き1名51,975円〜(2名利用時)
JR予讃線 松山駅から車で約30分
Setouchi Retreat Aonagi(→p. 055)
⚲ Yanaidanimachi 794-1 Matsuyama, Ehime
ℹ One night with two meals (per person): from 51,975 yen (when two guests in one room)
30 minutes by car from Matsuyama Station on JR's Yosan Line

木屋旅館(→p. 056, 086, 142)
⚲ 愛媛県宇和島市本町追手2-8-2
☎0895-22-0101
◷ショップ 10:00–15:00
ℹ1泊軽朝食付き 施設利用料22,000円 +
1人につき5,500円(冬期は要確認)
宇和島道路 宇和島朝日ICから車で約5分
Kiya Ryokan(→p. 057, 085, 142)
⚲ Ote 2-8-2, Honmachi, Uwajima, Ehime
◷Shop 10:00–15:00
ℹ One night with light breakfast: facility usage fee 22,000 yen + 5,500 yen per person (Please confirm prices for winter season)
5 minutes by car from Uwajima Asahi IC on Uwajima Expressway

大三島 憩の家(→p. 058, 079)
⚲ 愛媛県今治市大三島町宗方5208-1
☎0897-83-1111
ℹ1泊2食付き1名 洋室16,500円〜(2名利用時)
和室 7,700円〜(4名から利用可)
西瀬戸自動車道 大三島ICから車で約20分
Omishima Ikoi no Ie(→p. 059, 080)
⚲ Munagata 5208-1 Omishima-cho Imabari, Ehime
ℹ One night with two meals (per person): western room, from 16,500 yen (when two guests in one room) Japanese room, from 7,700 yen (can be used with four guests or more in one room)
20 minutes by car from Omishima IC on Nishiseto Expressway

道後舘(→p. 060)
⚲ 愛媛県松山市道後多幸町7-26
☎089-941-7777
ℹ1泊2食付き1名 21,750円〜(2名利用時)
伊予鉄道城南線 道後温泉駅から徒歩約7分
Dogokan(→p. 061)
⚲ Dogotako-cho 7-26, Matsuyama, Ehime
ℹ One night with two meals (per person): from 21,750 yen (when two guests in one room)
7 minutes on foot from Dogo Onsen Station on Iyotetsu Railway's Jonan Line

IKEUCHI ORGANIC 池内計司
(→p. 062, 103, 142)
⚲ 愛媛県今治市延喜甲762(IKEUCHI ORGANIC IMABARI FACTORY STORE)
☎0898-31-2255
◷9:00–17:30 土・日曜、祝日休、年末年始休、他不定休
ℹJR予讃線 今治駅から車で約10分
Keishi Ikeuchi (IKEUCHI ORGANIC)
(→p. 063, 142)
⚲ IKEUCHI ORGANIC IMABARI FACTORY STORE, Ko 762, Engi, Imabari, Ehime
◷9:00–17:30, Closed on Saturdays, Sundays, national holidays, and year-end / New Year's, and occasionally on other irregular days
ℹ 10 minutes by car from Imabari Station on JR's Yosan Line

THE 3rd FLOOR 松波雄大(→p. 064, 073)
⚲ 愛媛県松山市千舟町4-6-2 3F
☎089-909-3010
ℹ www.t3f.jp
伊予鉄道 松山市駅から徒歩約10分
Yudai Matsunami (THE 3rd FLOOR)(→p. 065)
⚲ 3F Chifunemachi 4-6-2, Matsuyama, Ehime
ℹ 10 minutes on foot from Matsuyama City Station of Iyotetsu Railway

ニノファーム 二宮新治(→p. 066)
ℹ www.ninofarm-uwajima.com
citrus-sommelier.com
Shinji Ninomiya (Nino Farm)(→p. 067)

春秋窯 工藤省治(→p. 068, 070, 113)
Shoji Kudo (Shunjugama)(→p. 069, 070, 115)

d MARK REVIEW EHIME INFORMATION

1
道後温泉本館(→p. 024, 074)
⚲ 愛媛県松山市道後湯之町5-6
☎089-921-5141(道後温泉事務所)
◷6:00–23:00(入館は22:30まで)
12月に1日臨時休館あり
🅘伊予鉄道城南線 道後温泉駅から徒歩約5分
Dogo Onsen Honkan(→p. 025, 077)
⚲ Dogoyunomachi 5-6, Matsuyama, Ehime
◷6:00–23:00 (entry until 22:30)
Temporarily closed on one day in December
🅘 5 minutes on foot from Dogo Onsen Station on Iyotetsu Railway's Jonan Line

道後温泉別館 飛鳥乃湯泉
⚲ 愛媛県松山市道後湯之町19-22
☎089-932-1126
◷6:00–22:00(1階浴室コースは23:00まで)
12月に1日臨時休館あり
Dogo Onsen Annex Asuka-no-Yu
⚲ Dougoyunomachi 19-22, Matsuyama, Ehime
◷6:00 –22:00 (1F Bath course: until 23:00), Closed on one irregular day in December

宇和米博物館(→p. 026, 085)
⚲ 愛媛県西予市宇和町卯之町2-24
☎0894-62-6517
◷9:00–17:00月曜休(祝日の場合は翌日休)、
年末年始休
🅘松山自動車道 西予宇和ICから車で約10分
Uwa Rice Museum(→p. 027)
⚲ Unomachi 2-24, Uwa-cho, Seiyo, Ehime
◷9:00–17:00, Closed on Mondays (for Mondays that are national holidays, closed on following day) and year-end / New Year's
🅘 10 minutes by car from Seiyo Uwa IC on Matsuyama Expressway

畦地梅太郎記念美術館(→p. 028, 142)
⚲ 愛媛県宇和島市三間町務田180-1
☎0895-58-1133
◷9:00–17:00(入館は16:30まで)
火曜休(祝日の場合は翌日休)、1月1日休、
展示入れ替え時休
🅘松山自動車道 三間ICから車で約1分
Azechi Umetaro Memorial Museum
(→p. 029, 142)
⚲ Muden 180-1, Mima-cho, Uwajima, Ehime
◷9:00–17:00 (entry until 16:30), Closed on Tuesdays (for Tuesdays that are national holidays, closed on following day), January 1, and when exhibitions change
🅘 1 minute by car from Mima IC on Matsuyama Expressway

南岳山 光明寺(→p. 030)
⚲ 愛媛県西条市大町550
☎0897-53-4583
◷無休(見学は、14:00–16:00)
🅘JR予讃線 伊予西条駅から車で約3分
Nangakuzan Komyo-ji(→p. 031)
⚲ Omachi 550, Saijo, Ehime
◷ Open year-round (Visits between 14:00–16:00)
🅘 3 minutes by car from Iyo Saijo Station on JR's Yosan Line

鯛や(→p. 032)
⚲ 愛媛県松山市三津1-3-21
☎089-951-1061(要予約)
◷11:30–15:00火・水曜休(祝日の場合は営業)
🅘伊予鉄道高浜線 三津駅から徒歩約10分
Taiya(→p. 033)
⚲ Mitsu 1-3-21, Matsuyama, Ehime
◷ 11:30–15:00, Closed on Tuesdays, Wednesdays
🅘 10 minutes on foot from Mitsu Station on Iyotetsu Railway's Takahama Line

マルブン 小松本店(→p. 034)
⚲ 愛媛県西条市小松町新屋敷甲407-1
☎0898-72-2004
◷平日 ランチ 11:00–15:30(L.O. 15:00)
ディナー 17:30–22:00(L.O. 21:30)
土・日・祝日 11:00–22:00(L.O. 21:30)月曜休
(休日の場合は翌日休)、他不定休、1月1日休
🅘JR予讃線 伊予小松駅から徒歩約1分
Marubun Komatsu Main Store(→p. 035)
⚲ Shinnyashiki Ko 407-1, Komatsu-cho Saijo, Ehime
◷Weekdays: lunch 11:00–15:30 (L.O. 15:00), dinner 17:30–22:00 (L.O. 21:30); Weekends/ National holidays: 11:00–22:00 (L.O. 21:30); Closed on Mondays (for Mondays that are holidays, closed on following day), occasionally other irregular days, and January 1
🅘 1 minute on foot from Iyo Komatsu Station on JR's Yosan Line

いかだ屋(→p. 036, 086)
⚲ 愛媛県宇和島市下波4496
☎090-3182-7363
🅘1日1組限定(5名〜)の完全予約制 不定休
松山自動車道 宇和島南ICから車で約20分
Ikadaya(→p. 037)
⚲ Shitaba 4496, Uwajima, Ehime
◷Reservations required, limited to one group per day (from group of 5 persons)
🅘 20 minutes by car from Uwajima Minami IC on Matsuyama Expressway

コンテックス タオルガーデン 今治
(→p. 038, 080, 141)
⚲ 愛媛県今治市宅間甲854-1
☎0898-23-3933
◷10:00–18:00月曜休(祝日の場合は翌日休)、
年末年始休
🅘西瀬戸自動車道 今治ICから車で約5分
Kontex Towel Garden Imabari(→p. 039, 141)
⚲ Ko 854-1, Takuma, Imabari, Ehime
◷ 10:00–18:00, Closed on Mondays (for Mondays that are national holidays, closed on following day), year-end / New Year's
🅘 5 minutes by car from Imabari IC on Nishiseto Expressway

梅山窯(梅野精陶所)(→p. 040, 113, 142)
⚲ 愛媛県伊予郡砥部町大南1441
☎089-962-2311
◷8:05–16:50(売店のみ営業の場合は12:30から)
月曜休、年末年始休
🅘松山自動車道 松山ICから車で約20分
Baizangama Pottery(→p. 041, 142)
⚲ Ominami 1441, Tobe-cho, Iyo-gun, Ehime
◷8:05–16:50 (when only store is open, open from 12:30), Closed on Mondays and year-end / New Year's
🅘 20 minutes by car from Matsuyama IC on Matsuyama Expressway

ひなのや 松山三番町店(→p. 042, 142)
⚲ 愛媛県松山市三番町3-5-10
☎089-993-7115
◷10:00–18:00 日曜、祝日休
🅘伊予鉄道城南線 大街道駅から徒歩約5分
Hinanoya Matsuyama Sanbancho Shop
(→p. 043, 142)
⚲ Sanban-cho 3-5-10, Matsuyama, Ehime
◷10:00–18:00, Closed on Sundays, and national holidays
🅘 5 minutes on foot from Okaido Station on Iyotetsu Railway's Jonan Line

ひなのや 壬生川駅前店
⚲ 愛媛県西条市三津屋南11-9
☎0898-35-5628
◷10:00–18:00 日曜、祝日休
Hinanoya Nyugawa Ekimae Shop
⚲ Mitsuya Minami 11-9, Saijo, Ehime
◷10:00–18:00, Closed on Sundays, and national holidays

リモーネ(→p. 044, 078, 141)
⚲ 愛媛県今治市上浦町瀬戸2342
☎0897-87-2131
◷11:00–17:00頃　火・金曜休、臨時休業あり
🅘西瀬戸自動車道 大三島ICから車で約10分
Limone(→p. 045, 081, 141)
⚲ Seto 2342, Kamiura-cho, Imabari, Ehime
◷11:00–about 17:00, Closed on Tuesdays, Fridays, and occasionally on other irregular days
🅘 10 minutes by car from Omishima IC on Nishiseto Expressway

12
サントリーバー露口(→p. 046, 073)
⚲ 愛媛県松山市二番町2-1-4
☎089-921-5364
◷19:00–24:00頃　日曜、祝日休、他不定休
🅘伊予鉄道城南線 大街道駅から徒歩約3分
Suntory Bar Tsuyuguchi(→p. 047)
⚲ Niban-cho 2-1-4, Matsuyama, Ehime
◷19:00–24:00, Closed on Sundays, national holidays, and occasionally on other irregular days
🅘 3 minutes on foot from Okaido Station on Iyotetsu Railway's Jonan Line

1. 北海道 HOKKAIDO
2. 鹿児島 KAGOSHIMA
3. 大阪 OSAKA
4. 長野 NAGANO
5. 静岡 SHIZUOKA
6. 栃木 TOCHIGI
7. 山梨 YAMANASHI
8. 東京 TOKYO
9. 山口 YAMAGUCHI
10. 沖縄 OKINAWA
11. 富山 TOYAMA
12. 佐賀 SAGA
13. 福岡 FUKUOKA
14. 山形 YAMAGATA
15. 大分 OITA
16. 京都 KYOTO
17. 滋賀 SHIGA
18. 岐阜 GIFU
19. 愛知 AICHI
20. 奈良 NARA
21. 埼玉 SAITAMA
22. 群馬 GUNMA
23. 千葉 CHIBA
24. 岩手 IWATE
25. 高知 KOCHI
26. 香川 KAGAWA

HOW TO BUY

「d design travel」シリーズのご購入には、下記の方法があります。

店頭で購入

- D&DEPARTMENT 各店（店舗情報 P.180–181）
- お近くの書店（全国の主要書店にて取り扱い中。在庫がない場合は、書店に取り寄せをご依頼いただけます）

ネットショップで購入

- D&DEPARTMENT ネットショップ d-department.com
- Amazon amazon.co.jp
- 富士山マガジンサービス（定期購読、1冊購入ともに可能） www.fujisan.co.jp

＊書店以外に、全国のインテリアショップ、ライフスタイルショップ、ミュージアムショップでもお取り扱いがあります。
＊お近くの販売店のご案内、在庫などのお問い合わせは、D&DEPARTMENT PROJECT 本部 書籍流通チームまでご連絡ください。（☎03-5752-0520 平日10:00–

編集後記

神藤秀人 Hideto Shindo
d design travel 編集長。東京都出身。
本誌連動企画展「d design travel EXHIBITION」も担当。

毎号、その土地らしい特集コーナーを設けているのですが、今回、もう一つ書きたかったのが、「しまなみ海道」のこと。というのも、しまなみ海道は、愛媛県の今治から広島県の尾道まで繋がっているため、愛媛号で書いてしまっていいのか、ということ。編集部日記で、少し触れましたが、しまなみ海道の旅の後半は、「広島号」に続きます。そして、運命的にも次号は、広島号。お尻が痛くなるまで走ります。しまなみ海道"広島・尾道編"を乞うご期待。

前田次郎 Jiro Maeda
d design travel 編集部。東京都出身。
現地の編集長を東京オフィスからサポートする、縁の下の力持ち。

工藤省治さんが砥部焼に唐草文様を描いたのが約50年前のこと。「無茶々園」の段々畑は、約60年前はまだミカン畑ではなく、「今治タオル」は出来てまだ14年。「伯方の塩」や「ポンジュース」、「タオルマフラー」や「パン豆」、和紙製品の数々……試行錯誤の末、新しいものを生み出した活動に、愛媛でたくさん出会いました。その裏で、淘汰された数多くの取り組みにも思いを馳せつつ、新しい一歩が常に身近にあるんだ、と教わった愛媛号制作でした。

発行人 / Founder
ナガオカケンメイ Kenmei Nagaoka
(D&DEPARTMENT PROJECT)

編集長 / Editor-in-Chief
神藤 秀人 Hideto Shindo (D&DEPARTMENT PROJECT)

編集 / Editors
前田 次郎 Jiro Maeda (D&DEPARTMENT PROJECT)
有賀 みずき Mizuki Aruga (D&DEPARTMENT PROJECT)
松崎 紀子 Noriko Matsuzaki (design clips)

執筆 / Writers
高木 崇雄 Takao Takaki (Foucault)
坂本 大三郎 Daizaburo Sakamoto
黒江 美穂 Miho Kuroe (d47 MUSEUM)
相馬 夕輝 Yuki Aima (D&DEPARTMENT PROJECT)
豊島 吾一 Goichi Toyoshima (Imabari HOHOHOZA)
越智 政尚 Masanao Ochi (Hon no Wadachi)
深澤 直人 Naoto Fukasawa

デザイン / Designers
加瀬 千寛 Chihiro Kase (D&DEPARTMENT PROJECT)
高橋 恵子 Keiko Takahashi (D&DEPARTMENT PROJECT)
村田 英恵 Hanae Murata (D&DEPARTMENT PROJECT)

撮影 / Photograph
山﨑 悠次 Yuji Yamazaki
大野 和香奈 Wakana Ono (THE DAY)

イラスト / Illustrators
辻井 希文 Kifumi Tsujii
坂本 大三郎 Daizaburo Sakamoto

日本語校閲 / Copyediting
衛藤 武智 Takenori Eto

翻訳・校正 / Translation & Copyediting
サブリナ・ウォイトン
Woiton Sabrina (Ten Nine Communications, Inc.)
岡村 朱乃 Ayano Okamura (Ten Nine Communications, Inc.)
賀来 素子 Motoko Kaku
ジョン・バイントン John K. Byington
ニコル・リム Nicole Lim
ンー・ソーキン Ng Soh King
真木 鳩陸 Patrick Mackey
戸田 ディラン ルアーズ Dylan Luers Toda
中野 美樹 Miki Nakano

制作サポート / Production Support
ユニオンマップ Union Map
佐々木 晃子 Akiko Sasaki (D&DEPARTMENT PROJECT)
濱中 彩乃 Ayano Hamanaka (d47 SHOKUDO)
d47 design travel store
d47 MUSEUM
d47 食堂 d47 SHOKUDO
D&DEPARTMENT HOKKAIDO by 3KG
D&DEPARTMENT SAITAMA by PUBLIC DINER
D&DEPARTMENT TOKYO
D&DEPARTMENT TOYAMA
D&DEPARTMENT YAMANASHI by Sannishi YBS
D&DEPARTMENT KYOTO
D&DEPARTMENT KAGOSHIMA by MARUYA
D&DEPARTMENT OKINAWA by OKINAWA STANDARD
D&DEPARTMENT SEOUL by MILLIMETER MILLIGRAM
D&DEPARTMENT JEJU by ARARIO
D&DEPARTMENT HUANGSHAN by Bishan Crafts Cooperatives
Drawing and Manual

広報 / Public Relations
松添 みつこ Mitsuko Matsuzoe (D&DEPARTMENT PROJECT)
清水 睦 Mutsumi Shimizu (D&DEPARTMENT PROJECT)

販売営業 / Publication Sales
田邊 直子 Naoko Tanabe (D&DEPARTMENT PROJECT)
芝生 かおり Kaori Shibo (D&DEPARTMENT PROJECT)
高木 夏希 Natsuki Takagi (D&DEPARTMENT PROJECT)
西川 恵美 Megumi Nishikawa (D&DEPARTMENT PROJECT)

表紙協力 / Cover Cooperation
あとりえ・う (畦地梅太郎ギャラリー)
Atelier U Azechi Umetaro Gallery

表紙にひとこと

『若者』 畦地梅太郎（1902年–1999年）
愛媛県は、山も海も街も、凪のようにゆったりとした時間が流れていました。そんな長閑な場所で、幼少期を過ごした畦地梅太郎さん。"山の版画家"としても知られる中で、『山男』シリーズは、ご自身の心情を描いたと言われています。特に、この作品（『若者』）は、女性を描き、どこか「伊予」という女性を表した地名を彷彿とさせます。何よりも穏やかで、透き通った空気感。そして、愛おしいところも、僕の旅した愛媛県らしいのです。

One Note on the Cover

Wakamono, Umetaro Azechi (1902–1999)
Everywhere you go in Ehime, time seems to pass like a gentle breeze—in the mountains, in the seas, in the towns. This idyllic place is where Umetaro Azechi spent his childhood. He expressed his own innermost feelings in "Mountain Men" series. The young woman depicted in Wakamono, seems almost like a female representation of Iyo itself. It's striking in its serenity and its transparency, and there's something endearing about it that captures the essence of the Ehime I encountered during my journey.

---

d design travel EHIME
2020年4月20日 初版 第1版
First printing: April 20, 2020

発行元 / Distributor
D&DEPARTMENT PROJECT
158-0083 東京都世田谷区奥沢8-3-2
Okusawa 8-chome 3-2, Setagaya, Tokyo 158-0083
03-5752-0097
www.d-department.com

印刷 / Printing
株式会社サンエムカラー SunM Color Co., Ltd.

ISBN 978-4-903097-27-5 C0026

Printed in Japan

掲載情報は、2019年11月時点のものとなりますが、
定休日・営業時間・詳細・価格など、変更となる場合があります。
ご利用の際は、事前にご確認ください。
掲載の価格は、特に記載のない限り、すべて税込み（10%）です。
定休日は、年末年始・GW・お盆休みなどを省略している場合があります。
The information provided herein is accurate as of Nobember 2019. Readers are advised to check in advance for any changes in closing days, business hours, prices, and other details.
All prices shown, unless otherwise stated, include tax.
Closing days listed do not include national holidays such as new year's, obon, and the Golden Week.

全国の、お薦めのデザイントラベル情報、本誌の広告や、
「47都道府県応援バナー広告」（P. 155～178のページ下に掲載）
についてのお問い合わせは、下記、編集部まで、お願いします。

宛て先
〒158-0083 東京都世田谷区奥沢8-3-2
D&DEPARTMENT PROJECT
「d design travel」編集部宛て
d-travel@d-department.jp

携帯電話からも、D&DEPARTMENTの
ウェブサイトを、ご覧いただけます。
http://www.d-department.com